KB218198

2024년 13살 오아시스 이야기

발 행 | 2024년 12월 6일
지은이 | 오아시스반
펴낸이 | 한건희
펴낸곳 | 주식회사 부크크
출판사등록 | 2014.07.15.(제2014-16호)
주 소 | 서울특별시 금천구 가산디지털1로 119 SK트윈타워 A동 305호
전 화 | 1670-8316
이메일 | info@bookk.co.kr

ISBN | 979-11-419-2049-4

www.bookk.co.kr

2024년 13살
오아시스 이야기

오아시스반 지음
허지영 선생님 묶음

머리말

이 책의 글들은 서울 성일초등학교 6학년 5반 오아시스반 친구들의 이야기를 묶은 책입니다.

누구보다 밝고 사랑스러웠던 오아시스반 친구들의 이야기로 여러분을 초대합니다.

유준 도현 찬민 민호 유찬 주찬 지민 시영 하람 수현 준석
예서 세희 연수 초은 하연 하이 주윤 지유 혜신 재이 현아

정말 많이 사랑해요 오아시스 친구들♥

2024년 12월 졸업을 앞두며
너희가 많이 그리울 허지영 선생님

제 1화 새 학기

-두근두근 6학년의 시작-

나는 아침에 일어나 신학기 준비를 하고 학교에 갔다. 나는 6학년 5반이었다. 나는 반 배정이 잘되었다고 생각했다. 6학년 때 나랑 같은 반인 친구들이 많았기 때문이다. 나는 첫날부터 설레고 기분이 좋았다.

우리 반 선생님 친구들은 첫인상은 일단 차가워 보였다. 왜냐면 다 조용히 책을 읽고 있었기 때문이다. 그래서 나도 덩달아 긴장이 되었다. 하지만 쉬는 시간이 되자 친구들이 말도 많고 엄청 활기차 보였다. 정말 다행이었다. 얼른 친구들과 친해지고 싶다는 생각이 들었다.

우리 반 선생님은 허지영 선생님이시다. 선생님의 첫인상은 좋으신 것 같았다. 선생님이 자기소개를 퀴즈로 내셨다. 덕분에 선생님에 대해 많이 알 수 있어 좋았다. 선생님은 공부를 못하는 학생에게 가까이 다가가서 공부를 친절히 또박또박 알려주셨다. 좋았다.

이렇게 6학년 첫날이 지났는데 친구들과 선생님 모두 다행이라 행복했다. 앞으로 6학년 생활이 기대된다.

제 2화 나를 소개합니다.

-Who am I?-

나는 이주찬이다. 오늘은 나를 소개해 보겠다.

내가 잘하는 그것은 요리이다. 특히 나는 달걀부침을 잘한다. 옛날에 엄마한테 배운 적이 있는데 그때부터 종종 내가 해 먹는다. 요리를 안 내 자신이 자랑스럽다. 나는 드론 날리기도 잘한다. 왜냐면 유튜브 영상을 보고 스스로 독학했는데 옛날 집에 있는 드론으로 날려 연습했기 때문이다.

내가 못 하는 그것은 달걀 뒤집기다. 왜냐면 달걀이 예쁘게 안 되고 여러 번 도전해봐도 실패했기 때문이다. 그래서 나의 목표는 언젠가 계란을 한 번에 뒤집는 것이다.

나는 공부를 잘못한다. 그중에서 특히 수학을 못하는데 수학이 어렵다. 6학년이 돼서 계산 방식이 훨씬 길고 복잡해졌기 때문인 것 같다. 하지만 난 포기하지 않을 것이다. 앞으로 선생님 말씀을 더 잘 듣고 경청해서 수학 실력을 키울 것이다.

마지막 나의 취미이다. 나는 배드민턴을 좋아한다. 내 동생이 밤에 배드민턴을 계속 가기 때문에 나도 따라와 배드민턴을 치게 되었다.

이렇게 나에 대한 글을 써보니 나에 대해 더 자세히 알 수 있었고 앞으로 내가 못하는 것들을 더 잘하고 싶다는 다짐이 생겼다.

제 2화 나를 소개합니다

-저를 소개합니다-

나는 이준석이다. 오늘은 나의 대해 소개해 보겠다. 일단 첫 번째로 내가 좋아하는 것을 소개하겠다. 내가 좋아하는 것으로는 게임이 있다. 게임을 좋아하는 이유는 게임을 하면 짜증 날 때가 있긴 하지만 대부분 재미가 있어서 스트레스가 풀린다.

그다음으로 소개할 거는 내가 싫어하는 거다. 내가 싫어하는 거는 공부다. 공부는 하면 할수록 어지럽고 답답하다. 공부 중에서는 영어가 젤 싫다. 영어는 단어를 외어야 하는데 단어를 외우려 면 기억력이 좋아야 하는데 나는 기억력이 안 좋아서 영어가 짜증이 난다.

이번의 내가 소개할 거는 내가 좋아하는 음식이다. 내가 좋아하는 음식은 바삭한 음식이다. 바삭한 음식들은 대부분 맛있는 음식이 많다. 예를 들어 과자, 치킨, 탕수육, 돈가스. 등이 있다.

이번에 소개할 거는 내가 싫어하는 음식이다 내가 싫어하는 음식은 채소 등등이 있지만 내가 제일로 싫어하는 음식은 버섯이 다 버섯은 내가 싫어하는 질김과 씹으면 버섯 물이 나와서 맛없다.

제3화 우리 가족을 소개합니다.

-오마카세 우리 가족-

이번 3화에서는 우리 가족들을 비유적 표현으로 소개해 보겠다. 지난번에 나라는 인간은 소개했으니 3화에서는 나를 제외한 우리 가족을 소개해 보겠다.

"띠링~ 메인 요리 '엄마' 나왔습니다."

첫 번째 대표요리는 "케비어 치킨"이다. 캐비어처럼 고급스럽고 치킨처럼 겉바속촉한 엄마이다. 자세하게 설명하자면 엄마의 행동은 고급지고 엄마의 지식은 바삭하고 엄마의 성격은 촉촉하다. 맛으로 표현하자면 은은한 캐비어의 고급짐과 어우러 방금 막 튀긴 듯 바삭한 겉과 촉촉한 속 치킨 중에서도 치킨인 맛이다.

"띠링~서브 요리 '아빠' 나왔습니다"

두 번째 서브 요리는 "꽃등심 라면"이다. 꽃등심처럼 부드럽고 라면처럼 시원한 아빠이다. 자세하게 표현하자면 아빠의 성격은 꽃등심처럼 부드럽고 아빠의 행동은 시원시원하기 때문이다.

맛으로 표현하자면 입안에서 도드라지는 달콤하고 부드러운 꽃등심과 시원하고 설걸한 라면의 만남이라고 할 수 있다.

"띠링~입가심 요리 '누나' 나왔습니다."

세 번째 입가심 요리는 "취두부"이다. 식탁에 맛있는 음식이 있으면 맛없는 음식도 있는 법이다. 자세하게 설명하자면 맛없을 수 없는 두부에 누나의 화냄이 들어간다. 즉 취두부 소스가 들어간다는 뜻이다. 맛으로 표현하자면 그냥 먹자마자 입에서 난리를 치는 맛이다.

"띠링~ 마지막 요리 '버드'(강아지)나왔습니다."

네 번째 간식 요리는 솜사탕이다. 솜사탕처럼 보드러운 털과 솜사탕의 달콤한 맛 같은 버드의 성격이다. 맛으로 표현하자면 솜사탕의 부드러움 속 달콤함이 어우러지는 최고의 맛이다.

우리 가족은 오마카세이다. 맛있는 것 맛없는 것 달콤한 것 모두 있는게 마치 오마카세 같기 때문이다. 지금 보니까

(거의,,,,,,,★ 흑백요리사 수준......)

제 3화 우리 가족을 소개합니다.

-내 가족을 알라~~~-

소크라테스는 "너를 알라"라고 했다. {아마도?} 그럼 나는 "우리 가족을 알라"라고 말하고 싶다. 반평생을 같이 사는데 가족인데 가족을 모르면 이지민 12 죄악 중 하나이다. 근데 이렇게 말하는 나는 가족들을 잘알고 있는지 확인하고 싶어 이글을 쓰게 되었다.

첫 번째로 소개할 가족은 아빠이다. 우리 아빠는 예언자인 것 같다. 만약 내가 컴퓨터를 안 끄고 밥을 먹으러 오면 컴퓨터 끄고 오지 않으면 컴퓨터가 안 켜질 수도 있다 하셨는데 진짜 밥 먹고 컴퓨터를 켜려고 하는데 안 켜진 기억이 있다. 또 다른 예언들도 많았지만 생략하겠다.

또 우리 아빠는 장난꾸러기이다. 내가 학교에 갔다 와 집에 들어가는데 아빠가 방문 뒤에서 툭 튀어나와 놀랐던 적도 있다. 또 우리 아빠는 말장난을 엄청나게 좋아한다. 흔히 말하는 아재 개그? 하지만 나에게는 아빠의 개그가 재밌다.

이제 우리 아빠의 성격을 설명하겠다. 우리 아빠는 엄청나게 세심하신 분이다. 진짜 뭐든지 세심하다. 근데 우리 아빠 외모는 세심하게 안 생기셨다. {하지만 잘생기셨다} 나는 그런 우리 아빠가 좋다.

하지만 그런 아빠에게도 단점이 있다. 그건 바로 아빠가 T라는 것이다. 우리 아빠는 분석을 잘하고 이성적이며 아는 것도 많다. 하지만 나하고 대화 할 때 교훈을 붙이며 대화하기도 하는데 너무 자주 그러셔서 힘들다. 그래도 아빠의 교훈은 항상 써먹는다}

우리 아빠의 볶음밥 요리 실력 하나는 최고이다. 나중에 볶음밥 가게를 차려보자고 설득할 것이다. 그만큼 맛있다. 그래도 나는 아빠가 너무 좋다. {아빠 최고!!}

두 번째는 엄마이다. 우리 엄마는 MBTI가 F이다. 아빠하고는 정반대다. 그래서 우리 엄마 아빠는 찰떡궁합이다. 아빠는 이성을 엄마는 감성을 그렇다고 엄마가 이성이 없는 게 아니고 아빠가 감성이 없는 게 아니다. 그냥 좀 더 치우쳐져 있는 것이다.

그게 내가 다쳤을 때 그 성향이 조금 나타난다. 엄마는 조금더 감성적으로 위로해 주시고 아빠는 조금 더 이성적으로 위로를 해주신다.

이제 우리 엄마의 요리 실력을 소개하겠다 우리 엄마는 마법의 알을 잘 사용하신다. 하지만 요즘은 직접 만드시는 것 같다. 나는 우리 엄마가 고기를 자주 구워 주셔서 좋다. 고기는 내 최애의 음식인데 그걸 자주 먹을 수 있다니! 그래서 난 요즘 저녁이 기다려진다.

하지만 그런 엄마에게도 단점이 있다.

1. 너무 극과 극이다. 어느 날은 활기찼다. 또 어느 날은 피곤해한다. 근데 중간이 없다.

2. 저녁에 뭘 먹는 거에 예민해서 피곤하다.

난 이 글을 쓰면서 우리 가족을 다시 돌아볼 수 있어 좋았다.

제 4화 내 인생 최고의 사건

-최고 엄지~척-

이번 주제는 내 인생 최고의 사건이다.

첫 번째는 우리 6-5반에 온 것이다. 왜냐하면 선생님, 친구들이 너무 좋고 활동, 수업, 쉬는 시간이 너무너무 재미있기 때문이다. 개성 만점이고 선생님은 최고다.

두 번째 고급 라면을 먹은 것이다. 왜 고급 라면이냐? 라면 사리, 라면스프, 파, 양파, 랍스터, 소고기, 치즈를 넣은 아주 완벽한 라면이다. 그때 내가 먹던 건 라면이 아니라고 생각했다. 입에 넣는 순간 랍스타 특유의 향이 느껴졌고 파의 시원함 그리고 소고기가 부드러운 마사지를 해줄 때 마지막 대미를 장식하는 치즈~ 정말 최고의 라면이었다.

세 번째 내가 가장 좋아하는 유튜버가 생긴 것이다. 내가 가장 좋아하는 유튜버는 백앤아 이다 (제발 백앤아를 알아줘) 처음에는 백앤아가 먹방을 했었는데 너무 맛있게 먹어서 재미있게 봤었는데. 백앤아가 게임으로 갈아타서 아직까지 잘 보고 있음

네 번째 여자 친구가 있었던 적이다 예전에 피아노학원에 같이 다니고 같이 다니고 같은 반이었던 친구가 있었다. 그냥 친한 친구로 지내고 있었다. 근데 어느 날 갑자기 카톡으로 나랑 사귀자고 말했다 갑자기 왜? 라고, 물어보니 졸업식 때부터 좋아하고 키가 작아 귀여워서라는 이유를 댔다 근데 2~3년 뒤에 갑자기 전화로 "우리 헤어지자, 애들이 자꾸 놀려"라고 말하며 헤어짐

다섯 번째로 내 인생 최고의 일은 사소한일 모든 것 이라고 생각한다. 작은 것도 감사하며 살면 모든 게 최고로 보일 것이다.

지금까지 (최고 엄지~척)이였습니다

제 4화 인생의 최고의 순간

-행복합니다-

나는 인생에서 최고인 반인 6학년 5반을 만났다. 이것은 최고의 순간 첫 소재이다. 6학년 5반에는 소중한 친구들이 있다. 우리 반 친구들은 장점이 적든 많든 함께 도와준다. 이렇게 행복한 반은 6년 동안 생각해 온 반이다.

선생님께서도 친구들과 나를 친절하게 알려주시고 언제나 배려가 넘치시다. 시간이 지나다 보면 부서 일도 잘 안 하게 되지만 우리 반은 아니다. 거기에 나도 있다. 틀려도 괜찮고 자신의 실수를 바로 사과하는 우리 반을 만난 것이 인생 최고의 순간이다.

나는 제주도로 여행 갔다. 제주도를 갈 때 비행기를 탄다. 이때 하늘의 구름과 아래를 볼 수 있어 좋다. 숙소에 들어가 바비큐를 했다. 다음 날 한라산을 갔다. 산은 역시 힘들다 몸소 느꼈다. 하루 반이 갔다. 힘들었지만 그만큼 이야기 나누는 시간을 보내 좋았다.

가족과 함께 캠핑을 간 적이 있다. 보드게임도 하고 영화를 보는 재미있는 순간이었다. 모기가 있는 여름이어서 다리가 아프고 간지러웠다. 밤도 춥고 야외에서 사진을 찍다 보니 내 상태가 어떤

지 잊어버렸다. 집에 가는 길에 병원에 들렀는데 벌에 약하게 쏘였다. 말벌이 아니라 꿀벌이어서 다행이다.

올림픽 공원은 우리 집에서 가깝다. 나는 벚꽃이 예쁠 때라고 가자고 하시는 부모님을 따라갔다. 나도 기대하면서 갔다. 걷다 보니 바람이 불어 꽃이 휘날리는 모습이 황홀했다. 말하는 앵무새를 우연히 보게 되었다. 목소리가 신기해 놀랐다.

인생에서는 재미없고 희망적인 게 없다고 생각했다. 생각해보니 행복한 순간이 많아 인생을 열심히 살아야겠다는 생각이 들었다.

제 5화 눈 떠서 교실에 도착할 때까지

-우당탕탕 주윤이의 아침 일과-

"주윤아~ 일어나"

부모님의 목소리에 나는 잠에서 깬다. 일어나라는 소리에도 침대에서 뒤척거리는 것은 국룰! 그러면 다시 부모님의 목소리가 들린다.

"빨리 일어나 주윤아!!~"

그제서야 일어나는 나는 화장실로 가 세수를 한다. 일어나자마자 세수를 하면 잠이 좀 깨기 때문이다.

그다음에 나는 아침을 먹는다. 대부분 아침은 빵이다. 호밀빵, 모닝빵, 식빵 등 아침에 먹는 빵 종류가 되게 다양한 거 같다. 그렇게 빵을 우물우물 먹고 나선 유산균 알약을 먹는다. 나는 어렸을 때부터 장이 약해서 배가 자주 아팠다. 그래서 나는 아침에 유산균을 먹는다. 물 한 모금 먹은 다음 꿀꺽!

그렇게 아침밥도 약도 먹고 나서 나는 양치를 하러 화장실로 간다. 왠지 모르게 아침에 일어나면 어젯밤에 양치를 했는데도 입 안에서 불쾌한 냄새가 난다. 그래서 나는 아침에 입안을 더 구석구석 닦는다. 으아~ 상쾌!

그런 다음 나는 옷을 준비한다. 나는 옷을 고르는 데 시간이 좀 걸린다. 입을만한 옷이 없어 보이기 때문이다. 근데 우리 엄마는 나보고

"아휴~ 입을 게 얼마나 많은데 왜 없다고 하니?"

하신다. 엄마 눈과 내 눈이 다른가 보다. 내 눈엔 없어 보이는데. ㅎ 내가 중학생을 부러워하는 이유 중 하나도 옷과 관련되어 있다. 중학교에는 교복이 있어 옷 걱정할 필요가 없기 때문이다. ㅋㅋ

어찌어찌해서 옷을 다 입고 나면 나는 가방을 메고 부모님께 "다녀오겠습니다~"

인사를 드리고 밖으로 나온다. 나는 걸어서 학교에 가기 때문에 늦지 않게 8시 20~25분쯤 출발을 한다. 1화 때 말했다시피 5학년 때만 해도 차를 타고 등교했었는데, 6학년 때부터 걸어서 등교하기 시작했다. 걸어서 등교하면 좋은 점은 찬 바람을 맞아 잠을 확실하게 깰 수 있다는 거다. 바람이 쌩쌩~

이렇게 나의 눈 떠서 교실에 도착할 때까지의 상황을 이야기해 보았다. 쓰다 보니 나의 아침 일과에서 좀 바뀌었으면 하는 부분이 보였다. 앞으로는 스스로 일어나려고 하고, 옷 고르는 시간을 줄이려고 노력해 봐야겠다.

제6화 내가 만약 부모님의 부모님이 된다면?

-부모님의 부모님이지만 부모님의 부모님 안 같은 부모님의 부모님 -

이번 글 주제는 만약 내가 우리 부모님의 부모님이 된다면? 이다. 나는 첫 번째로 집이 넓은 집에서 살게 해줄 것이다. 거기 다, 단독 주택에다가 5층짜리 집에서이다. 층간 소음 없이 마음껏 뛸 수 있는 집에서 부모님을 키울 거다. 왜냐하면, 엄마 아빠가 층간 소음이라고 뛰기, 춤추기, 노래하는 걸 자주 막곤 하시니까 나처럼 불편하시지 말라고 이다. 그리고 우리 집은 매우 넓진 않아서 엄마가 큰 집에 거실이 컸으면 좋겠다고 하셔서 이 또한 불편하지 말라고 이다.

두 번째는 맛있는 요리이다. 나는 엄마, 아빠께서 맛있는 요리를 해주시는 것처럼 나도 맛있는 요리를 해줄 것이다. 아낌없이 재료는 듬뿍 넣고 영양 만점에다가 맛까지 좋은 음식 말이다. 그리고 편식하지 않게 교육도 시킬 것이다. 그래서 아주 튼튼하고, 건강하게 키울 것이다.

세 번째로는 내 꿈 대신이다. 아이돌이나, 발레리나를 나 대신 될 수 있게 할 것이다. 그래서 학원도 보낼 것이고, 내가 열심히 최선을 다해 가르칠 것이다. 예를 들어 어려운 동작을 해낸다거나, 열심히 연습할 때는 칭찬을 듬뿍 해줄 것이다. 물론 부모님이 잘 따라줘야 하긴 하지만…

그리고 마지막으로는 아주 살짝 복수이다. 말 그대로 살짝이다. 일단은 숙제가 밀리는 날이 없도록 매일매일 이야기할 것이다. 숙제하라고. 그리고 귀에 계속 맴돌 정도로 시간 날 때마다. 이야기할 것이다.

지금까지 이번 글이었다. 글처럼 완벽한 엄마가 되고 싶지만, 쉬운 일이 아닐 것 같다.

제 6화 내가 만약 내 부모님의 부모님이라면?

-슬기로운 부모님 생활-

오늘은 "만약 내가 내 부모님의 부모님이라면"이라는 주제로 글을 써 보겠다.

일단 우리 부모님은 나의 최고 부모님이다. 좋은 집에서 맛있는 음식을 먹으며 친구들과 재밌게 학교생활을 하는 것은 다 부모님 덕분이다. 그래서 난 나에게 많은 걸 주시는 부모님께 보답을 해드리고 싶다.

부모님께 보답하기 위한 첫 번째! 안정적으로 생활할 수 있는 집을 마련할 것이다. [적당히 넓은 집으로] 왜냐하면 지금 우리 집은 전셋집이어서 월세보단 낫지만 이사할 때 힘들다는 단점이 있다. 그래서 평생 살 수 있는 집을 마련하고 싶은 것이다. 이제 그 집에서 우리 부모님의 성공 신화를 시작할 것이다. 좋은 추억도 쌓고

부모님께 보답해 드리기 두 번째! 재미없는 공부 말고 재밌는 공부를 알려줄 것이다. 우리 부모님은 나에게 재밌는 공부를 가르쳐

주셔 지금은 공부가 싫지 않다. 하지만 내 주변 친구들은 공부를 엄청나게 싫어한다. 그래서 그런 친구들이 되지 않기 위해서 재밌는 공부를 가르쳐 줄 것이다. 그리고 공부를 왜 해야 되냐고 물어보면 "공부는 인생을 가치 있게 살아가는 최고의 방법"이라고 말해 줄 것이다. 이제 공부 계획을 설명하겠다. 뭐 내 계획이 마음에 들면 그렇게 교육해 봐도 된다.

1.5~6살 때 한글에 숙달하게 할 것이다. 그리고 숫자를 마스터시키고 덧셈,뺏샘 맛보기만 해줄 것이다.

2.6~8살 때까지는 덧셈, 뺄셈을 마스터시킬 것이다. {마스터 안 되면 더 노력하면 된다.}또 초등학교가 입학하기 때문에 책을 많이 읽게 할 것이다. 동화책과 위인전 위주로. 특히 위인전은 나중에 초등학교 고학년이 되면 도움이 많이 된다.

3. 이제 기초는 다져 주었으니 나머지 공부 계획은 부모님이 세우게 도와줄 것이다. 하지만 내가 설명한 계획을 강요하면 안 된다. 유도를 해 저절로 빠지게 해야 한다. 강요하면 재밌는 공부가 아니기 때문에 안 된다.

이제는 인성교육이다. 유치원 때부터 식사 예절, 인사 예절 등을 가르칠 것이다. 도덕을 일찍부터 가르쳐서 나쁠 것도 없고 인성은 나중에 사회에서 이름을 날릴 때 큰 도움이 되기 때문이다. 또 힘든 일과 인간성을 길러주기에 더더욱 가르쳐야 한다.

부모님께 보답해 드리기 세 번째! 많은 추억을 쌓을 것이다. 어떻게 쌓을 것이 거냐면 맛있는 밥 차려주기, 밖에 가서 놀아주기 등이 있다. 하지만 미디어 게임은 손도 못 대게 할 것이다.

오늘, 이 글을 쓰면서 내가 부모님의 부모님이 돼서 부모님을 행복하게 만든 기분이 들었다. 나중에 내 자식들에게도 이렇게 할 것이다.

제 7화 우리 선생님을 소개합니다.

-허: 허락하시겠습니까?

지: 지금 오아시스 반을

영: 영원히 지영 쌤의 제자로 받아주실 것을?-

하.. 우리 선생님의 장점을 다 써서 자랑하고 싶은데 선생님의 장점이 너~무 많아 이 책 안에 다 못 쓸 거 같아 선생님의 핵심 포인트만 소개해 보겠다! 바로 고고씽!

일단 1화에서 나왔지만 우리 선생님의 성함은 허지영 선생님이시다. 개인적으로 나는 선생님 이름이 정말 이쁘시다고 생각한다. '허지영' 선생님.. 부르기도 쓰는 것도 둥글둥글 귀여운 거 같다. ㅎ 그리고 우리 선생님은 이름처럼 얼굴도 이쁘시다. 지영 쌤은 눈도 크시고 강아지상이시다. 그리고 미리카락 색도 갈색이어서 약간 갈색 말티푸를 닮으셨다. 우주에서 최고로 예쁘신 지영 선생님♡

그다음으로 선생님의 특징을 소개하겠다. 지영 쌤은 웃음이 많으시다. 특히 우리 반 친구들이 사랑 표현을 할 때 많이 웃으신다. ㅎ 선생님이 웃으시는 모습을 보면 나도 저절로 미소가 지어지며 행복해진다! 또 선생님은 인내심이 높으시다. 우리 반이 너무 떠들거나 잘못했을 때 몇 번 봐주시고 누가 수업 시간에 장난을 치면

경고를 주시며 천사 같은 마음으로 품어주시기 때문이다. 나라면 그렇게 많이 못 참을 거 같은데 선생님은 인내심이 높으신 거 같다. 그리고 다른 반 선생님과 친하게 지내신다. 저번에 컴퓨터 방과 후를 끝내고 신발을 갈아 신으러 교실로 가던 중 다른 반에서 선생님과 다른 반 선생님이 웃으시며 이야기하시는 것을 보고 우리 반 선생님이 다른 반 선생님과 친하게 지내시는구나 싶었다. 후후 선생님이 다른 선생님과 친하게 지내시면 나중에 그 반과 피구 같은 활동을 할 수도 있겠지? 선생님~ 다른 반 선생님이랑 더 친하게 지내세용~

그리고 우리 선생님의 좋은 점은 아침 인사, 나만의 책 만들기, 하교데이 등 다른 반에선 안 하는 특별한 활동을 많이 한다는 거다. 수학 시간엔 학사 석사 뽑기, 사회 시간엔 상황극 등 수업 시간에 재미있는 활동을 하니 수업 시간이 더 기대되는 거 같다. 이런 활동을 많이 하는 건 즉 선생님이 우리를 위한 마음이 크다는 거다!

마지막으로 우리 선생님이 어떤 선생님인지 소개하겠다. 지영 선생님은 내가 만난 초등학교 선생님 중 최고로 좋은 선생님이시고 어른이 돼서도 꼭 기억날 거 같은 선생님이다. 나중에 커서 어른이 돼도 지영 선생님을 뵈러 가고 싶다! 히히 나중에 오아시스 친구들과 선생님을 만나서 동창회를 하면 재미있겠다!

이렇게 우리 선생님을 소개하는 글을 써보았다. 정말 지영 선생님

같이 좋은 선생님은 없는 거 같다! 지영쌤 사랑해요~♡

제 7화 우리선생님을 소개합니다.

-찬양하라 선생님을!-

자. 오늘의 주제는 "우리 선생님을 소개합니다"이다. 일단은 우리 선생님은 매우 초 미녀이시다. 내가 한번도 써보지 않은 말이다. 잘 생각해 보니 이글은 소개가 아니라 자랑인 것 같다. 어쨌든 선생님은 웃으실 때가 제일 예쁘신 것 같다. 처음으로 이런 선생님을 만난 게 5학년 때였다. 그때도 선생님이 매우 좋으셨다. 어쨌든 우리 선생님이 많이 웃으시면 좋겠다.

그리고 다음 자랑 아니 소개는 선생님이 우리를 잘 가르쳐주신다는 것이다. 내 지금까지 만난 선생님 중에 착하시고 잘 가르쳐 주시는 선생님은 허지영 선생님이시다. 선생님이 재밌게 수업을 가르쳐주셔서 학교에 다니는 것이 즐겁다.

그리고 다음 소개할 것은 선생님이 많이 웃으신다는 것이다. 난 웃는 선생님이 좋다. 왜냐하면 선생님이 웃으시면 반 분위기가 화목해지기 때문이다. 그리고 학교에 나올맞이 있기 때문이다. 선생님이 웃으시면 나도 덩다라 웃게 된다. 지금까지 많이 웃으신는 선생님을 많나본게 별로 없었다. 어쨌든 많이 웃고 유쾌하신 선생님을 많나서 다행이것 같다.

다음 소개할 것은 선생님이 재밌으신 것이다. 선생님이 재밌으시면 반 전체가 즐거워진다. 또 선생님이 재밌으시면 공부가 재밌고 선생님이 가르쳐 주신 내용이 귀에 팍퍽픅! 잘박힌다. 또 우리 선생님 같은 착하시고 예쁘신 선생님을 만나는 것도 쉽지 않다. 예를 들어 선생님분들이 8명 있다고 가정하면 우리반 허지영 선생님 분들은 8명 중에 1명 꼴로 나타날 확률이다.

다음 소개할 것은 선생님이 수업을 재밌게 하신다는 것이다. 수업이 재밌으면 더 공부를 하고 싶은 마음이 들고 공부가 즐거워진다. 사실 나도 4학년 까지만 해도 학교 공부가 재밌지 않았다. 하지만 5학년 선생님과 지금 허지영 선생님 덕분에 하교 공부와 학교오는 것이 즐거워 졌다. 어쨌든 나중에 우리 선생님을 만난 후배들은 운이 정말 좋은 것이다. 아! 그리고 나의 후배들에게 이 한마디를 하겠다. “애들아! 부디 (눈물을 흘리며) 선생님 말씀 잘든고 유쾌한 6학년 보내렴!” zz

오늘은 우리 선생님을 자랑해 보았다. 내가 중학교에 가서도 우리반 선생님 같은분을 만나면 좋겠다!!

제 7화 우리 선생님을 소개합니다

-about 지영쌤-

이번 주제는 선생님과 만난지 얼마되지 않았지만, 나는 사람에 관심이많기 때문에 지금까지 파악한 '선생님 데이터'를 총동원해서 선생님을 기깔나게 소개해 보겠다. 일단 먼저 선생님의 기본정보이다. 선생님의 성함은 허지영 선생님이고, 성별은 여자이다. 나이는... 20대 후반 정도일 것 같다. 왜냐하면 선생님은 대학을 졸업하셨을 것이니 24세이상 일 것이고, 공무원 시험을 준비하기 위해 1년 정도 더 공부를하셨을 것이다. 또 시험에 바로 붙었다고 가정하에 선생님 경력이 최소 3~4년 되셨을 것이기 때문에 최소 29살 정도일 것 같다. 하지만 나이는 숫자일 뿐! 중요하지 않다. 또 선생님께서는 우리의 멋진 선생님이다.

다음으로는 선생님의 장점이다. 선생님의 장점은 정말 많으신데 가장 먼저 재미있는 수업을 많이 해주신다는 것이다. 3월부터 지금까지 한 수업 중 한 번도 재미없었던 수업이 없었을 정도로 선생님의 수업은 유튜브 보는 것보다 더 재미있다. 그래서 오히려 쉬는 시간보다 수업 시간이 더 좋고, 쉬는 시간이면 항상 다음 시간에 무엇을 할지 기대된다. 선생님의 두 번째 장점은 설명을 잘해주신다는 것이다. 모든 수업의 설명을 잘해주시지만 그중에서도 사회와 수학 설명을 잘하신다. 그래서 내가 사회와 수학 시험점수가 좋은 건가..? 선생님의 설명은 마치 한편의 공연 같다. 공연을 볼 때면 다른 곳에는 시선이 가지 않고 공연에만 집중되는 것처럼 선생님의 설명을 듣고 있으면 어느새 설명에 푹 빠진다. 또 공연이 끝나면 마음속에 깊은 여운이 남듯이 설명을 듣고 있어도 또 듣고 싶은 기분이 든다. 뿐만아니라 선생님의 수업은 전국, 아니 전세계에서 1등이다!

마지막으로는 선생님의 매력 포인트이다. 일단 가장 먼저 선생님의 웃음소리이다. 우리 반 친구들이 선생님께 애교를 부리거나 진짜로 웃긴 일이 있을 때나 선생님께서는 항상 "하하핳" 이라고 짧고 굵게 웃으신다. 왠지 선생님의 웃음소리를 들으면 나까지도 행복해지는 기분이다. 다음으로는 '선생님 그 잡채' 이다. 선생님께서는 존재 자체로도 빛이 나고 매력이 넘치다 못해 나이아가라 폭포처럼 흐른다.

그런데 이쯤돼서 생기는 의문이 있다. 선생님께서는 왜 남자친구가 없으신걸까?! 대한민국 남자들은 참 이상하다. 이렇게 장원영, 카리나보다 훨씬 더 완벽한 선생님을 놓치다니. 내가 남자라면 당장이라도 고백할텐데... 하긴. 선생님께서는 아무 남자랑 사귀기에는 아깝긴 하다.

드.디.어! 선생님 소개가 끝났다. 아직 만난지 3달 정도밖에 되지 않았는데 이정도면 앞으로 알게 될 선생님의 매력은 뭐가 있을지... 궁금하다!

제 8화 재밌는 주장 펼치기

-슈붕이 제일 잘나가-

요즘은 음식을 먹을 때도 먹을 방법이나 종류에 대해 여러 가지 의견들이 있는데, 그중에서 나는 슈크림 붕어빵 vs 팥 붕어빵에 관해 이야기하려고 한다. 그리고 나는 슈붕파다. 그럼 왜 슈붕이 좋은가?

첫째, 슈붕의 맛은 신선하다. 팥 붕어빵은 기본 맛으로 예전부터 많이 먹어봐서 평범한 맛이 느껴지는데, 슈크림 붕어빵은 처음 먹어봤을 때, 나는 붕어빵의 신세계라고 생각했다. 달콤하고 부드러운 맛의 슈크림 붕어빵의 쫀득한 식감과 잘 어울리고 어쩌면 심심할 수 있는 밀가루 반죽의 붕어빵 맛을 한층 높여 주기 때문에 슈붕이 좋아졌다.

둘째, 현대인의 선호도가 더 높다. 슈붕은 나의 입맛만 끌어당기는 게 아니었나 보다. 자료를 찾아보니 한 배달 앱에 따르면 2022년 11월에 팥붕은 3,651개가 팔렸으나 슈붕은 7,433개가 판매되었고 2023년 1월에는 팥붕 6,031개 vs 슈붕은 6,684로 슈붕이 더 인기가 많았다고 했다. (출처: 네이버 인사이트 뉴스 2023년 2월4일)

셋째, 영양상으로 더 우수하다. 팥에도 여러 영양성분이 들어있지만, 슈크림은 달걀과 우유로 만드는데 달걀과 우유는 모두 완전식품으로 불린다는 공통점이 있다. 그리고 슈크림이 부드럽고 달콤해서 팥보다 더 당류가 높을 거 같았는데 팥앙금에 설탕이 많이 들어가기 때문에 한 제조회사의 팥붕과 슈붕을 비교해보니 팥붕에 당류가 슈붕에 비해 약간 높은 것을 볼수있었다. (참고:비비고 붕어빵 100g당 당류 팥25g 슈19.3g)

이처럼 슈붕은 맛도 좋은 데다가 당류도 팥붕보다 낮고 실제로 많은 사람들에게 폭발적인 인기를 끌고 있다. 무엇보다 슈붕은 영양상으로 우수하다. 그러므로 우리는 슈붕을 먹어야 한다.

제 8화 재밌는 주장 펼치기

-찍먹은 부먹을 찢어!-

여러분은 찍먹파인가요? 부먹파인가요? 찍먹파는 탕수육을 소스에 찍어 먹는 사람들을 말하고 부먹파는 탕수육에 소스를 부어 먹는 사람들을 말합니다. 요즘 사람들 사이에서 찍먹파 vs 부먹파로 사소한 갈등이 생기는 일이 자주 일어납니다. 우리는 탕수육에 소스를 찍어 먹어야 합니다. 왜 우리는 찍어 먹어야 할까요?

첫째, 부먹은 같이 먹는 사람에게 피해를 줍니다. 2022년 한국리서치가 여론 조사한 내용에 따르면 찍먹이 60%, 부먹이 22%, 다 먹는 사람이 18%라는 결과가 나왔습니다. 이 조사의 결과처럼 국내에는 찍먹을 좋아하는 사람이 더 많습니다. 탕수육에 소스를 부어 먹는 것은 찍먹파인 사람은 물론, 소스를 안 좋아하는 사람 등 다른 취향인 사람들에게 피해를 줍니다. 하지만 찍어 먹으면 탕수육에 소스가 안 묻어 있어 원하는 정도의 소스로 먹을 수 있습니다.

둘째, 부먹은 몸에 더 안 좋습니다. 헤럴드 뉴스 기사에 따르면 소스를 부어 먹는 것보다 찍어 먹는 것이 열량과 염분이 더 낮고 칼로리도 낮다고 합니다. 이 기사를 통해 우리는 부먹보다 찍먹이 몸에 더 좋다는 것을 알 수 있습니다.

셋째, 찍먹은 포장해도 덜 눅눅합니다. 옛날에 중국집에서 남은 탕수육을 포장해 간 적이 있는데 소스를 부어 놓은 탕수육이 아니라 집에서 먹어도 중국집에서 먹던 탕수육 맛과 비슷했습니다. 이 경험처럼 부먹보다 찍먹은 시간이 지나도 덜 눅눅해집니다.

아는 맛이 가장 맛있는 맛이라는 명언처럼 사람들은 각자 먹어온 맛이 있기 때문에 부먹과 찍먹으로 사소한 갈등이 생길 때가 있습니다. 하지만 그럼에도 우리가 소스에 탕수육을 찍어 먹어야 하는 이유는 부어 먹으면 몸에 더 안 좋고 다른 사람에게 피해를 주기 때문입니다. 또 찍어 먹으면 포장해도 덜 눅눅하기 때문이죠. 우리는 건강과 다른 사람을 위해 탕수육을 소스에 찍어 먹어야 합니다.

제 9화 도저히 이해할 수 없는 어른들의 말이나 행동

-왜 이러는 걸까요?-

도저히 이해할 수 없는 어른들의 말이나 행동에는 무엇이 있을까? 나는 애초에 어른과 어린이는 세대부터 차이가 나기 때문에 통하기란 쉽지 않을 것 같다고 생각한다. 하지만 어른들도 한때 철없는 어린이였던 시절이 있었을 텐데 왜 그러는지는 의문이다. 어쨌든 내가 생각하는 도저히 이해할 수 없는 어른들의 말이나 행동은 많지만, 그중에서도 내가 어른이 되어도 이해할 수 없을 것 같은 것들을 소개하겠다.

첫 번째로는 "좋은 말로 할 때 들어라" 이다. 애초에 이 말 자체가 좋은 말은 아닌 것 같은데 말이다. 그리고 이 말을 한다는 것은 곧 잔소리를 시작한다는 일종의 신호이기도 하다. 또 이 말을 전혀 좋은 의미로 하지도 않았고 진짜로 잘 듣는다고 잔소리를 하지 않을 것 같진 않은데 굳이 왜 이 말을 하는지 이해가 되지 않는다.

두 번째로는 "라떼는 말이야~" 이다. 이 말은 어떤 상황에서 쓰일지도 잘 모르겠다. 보통 이런 말은 꼰대 같은 나이가 많은 나쁜 어른(아저씨?)들이 쓴다. 내가 이 말을 왜 쓰는지 이해가 되지 않는 이유는 요즘 시대에 사는 사람은 요즘 트렌드와 사회에 맞게 살아야 하는데 자꾸 라떼, 즉 옛날이 더 옳다는 듯이 행동하는 것이 나쁜 것 같고 이해가 되지 않는다. 물론 옛날이 더 옳았을 때도 있지만 우리는 과거로 갈 수 있는 초능력자가 아니기 때문에 현재에 맞게 살아야 한다. 그러니 이제 라떼는 음료 이름으로만 사용하자.

마지막으로는 인기척을 내지 않는 것이다. 어른들께서 항상 내 근처에 오시거나 방에 들어오실 때 노크나 인기척을 내지 않고 갑자기 들어와서 놀랄 때가 많다. 어떨 때는 앉아서 유튜브를 보고 있었는데 갑자기 엄마가 뒤에 있어서 놀랐던 적도 있다. 이것도 사생활 침해가 될 수 있기 때문에 제발 특히 방에 들어올 때 노크!!! 좀 해줬으면 좋겠다.

이렇게 도저히 이해할 수 없는 어른들의 말이나 행동에 대해 써 보았다. 이것들은 내가 어른이 되면 공감이 되거나 오히려 내가 어린이들에게 이해할 수 없는 행동을 할 수도 있겠지만, 지금은 이해하려고 해도 이해할 수 없는 것들이다. 과연 내가 어른이 되면 어떻게 생각이 바뀔지 궁금하다.

제 10화 내가 우리 반을 사랑하는 이유

-오아시스 012 사랑해♡-

10화 주제는 우리 반을 사랑하는 이유는? 이다. 으아아 오아시스를 사랑하는 이유를 빨리 알려주고 싶어 손이 근질거린다. ㅎㅎ 지금부터 바~로 내가 오아시스 반을 사랑하는 이유에 대해 이야기 해보겠다!

첫 번째는 세계에서 제일 멋지고 최고의 선생님인 지영 쌤이 우리 반에 있기 때문이다. 7화에서 설명했던 것처럼 우리 선생님은 정말 최고의 선생님이시다. 그래서 선생님을 향한 나의 사랑은 끝이 없이 크~다! 지영 선생님은 사막에 있는 오아시스처럼 우리 반에 꼭! 필요한 중심이시다. 그래서 나는 지영 선생님이 우리 반에 있어 오아시스를 사랑한다!

두 번째는 날 행복하게 해주는 오아시스 친구들이 우리 반에 있기 때문이다.

오아시스 친구들 모두가 있는 반은 우리 반밖에 없다. 그래서 나는 오아시스 친구들이 한명 한명 모두가 다 있어 우리 반이 채워지는 거라 생각한다. 우리 반 친구들은 반에서 중요한 존재들이다. 친구들이 없었다면 오아시스 반도 없었을 거다. 그래서 오아시스 친구들이 우리 반에 있다는 건 내가 우리 반을 사랑하는 이유 중 하나이다.

세 번째는 각양각색의 23가지 매력이 있기 때문이다. 우리 반엔 23명의 친구들이 있다. 친구마다 색다른 매력이 있기에 우리 반은 23가지의 매력으로 지루할 틈이 없다. 나는 이 매력들이 우리 반의 행복이라 생각한다. 그 매력들이 언제나 반에서 웃음꽃을 피우기 때문이다. 아 선생님 매력까지 합해서 24가지인가?? ㅎ 암튼 나는 우리 반에 다양한 매력이 있어 오아시스 반을 사랑한다.

네 번째 이유는 우리 반은 전 세계, 우주에서 하나뿐인 반이기 때문이다. 우리 오아시스 반 전체가 만난 건 기적이라고 생각한다. 이 많은 행성 중 많은 나라 중 한국의 많은 학교 중 많은 선생님과 친구들 중 우리가 만났다는 건 우연이 아니라 인연이라 생각한다. 오아시스 반 친구들을 대신해 줄 다른 사람은 이 세상에 없다. 그렇기 때문에 우리 반은 하나뿐인 반이다. 우리 반이 하나뿐인 반이라는 건 내가 우리 반을 사랑하는 이유다.

다섯 번째는 우리 반은 다른 반은 안 하는 활동들을 많이 한기 때문이다. 예를 들어 나들이, 글쓰기, 챌린지 등 다른 반은 안 하는 활동들을 하니 친구들과 선생님과 더 가까워지는 거 같고 돈독해지는 거 같다. 우리 반에서 재미있는 활동을 많이 해 나는 우리 반을 사랑한다! 우리들을 위해 이런 활동들을 준비해 주시는 지영 선생님 너무 감사해요!♡

이렇게 내가 오아시스 반을 사랑하는 이유에 대해 써보았다. 쓰고 쓰다 보니 많이 쓰게 되었다. 많이 쓴 만큼 우리 반을 사랑한다는 뜻! ㅎㅎ 우리 반을 사랑하는 이유에 대해 써보니 우리 반을 향한 사랑이 더 커진 거 같다. 우리 오아시스 반은 영원히 내가 사랑하는 반이 될 거다. 그럼 지금까지 내가 우리 반을 사랑하는 이유에 대해 써보았다. 오아시스 반 사랑해! 우리 반 사랑 012!♡

제 10화 우리반을 사랑하는 이유

-사랑을 했다 6-5을 만나...-

이번에는 내가 우리반을 사랑하는 이유에 대해 써보겠다. 첫째 이유는 좋은 선생님이 있으심. 우리반에는 천사 선생님 이 있으시다. 우리반의 선생님은 자비하시며 온화하시고 예쁘시고 휼륭하신 선생님이 있으시다. 우리선생님은 매우 착하시기 때문에 우리가 잘못을 해도 선생님은 넓으신 아량으로 우리를 용서해 주신다.

둘째 체육이 재밌어서이다 우리반의 체육시간은 정말 유쾌하다. 왜냐하면 우리 선생님은 재밋는 놀이를 많이 준비하시기 때문이다. 그러고 내가 깨달은 것은 우리가 선생님이 준비하신 체육활동을 할 때 집중을 안하면 매우 힘들다는 것을 깨달았다. 앞으로는 집중해야 겠다.

셌째 좋은 친구가 있어서 나에게는 좋은 친구가 있다. 이름은 원종이와 유찬이 하람이 유준이 준원이 찬민이 지민이 등등 나에게는 좋은 친구들이 있다. 비록 지금은 전하간 친구들이 있지만 그래도 그친구들 덕분에 잠깐의 학교 생활이 즐거원던 것 같다.

네 번째는 마지막 초등생활이기 때문이다. 지금 6학년은 마지막

초등학교 생활이라 즐겁게 보낼 것이다. 그러고 친구들 선생님과도 즐거운 학교생활의 추억을 싸을 것이다. 그러고 앞으로 남은 학교 생활도 즐겁고 유쾌하게 보내고 싶다.

다섯째 선생님은 시간표의 마법사 이시기 때문에 우리 선생님은 시간표의 마법사 시다. 우리가 4원칙을 잘지키면 어느때나 마법을 쓰셔서 시간표를 바꾸신다. 그래서 난 선생님이 좋다. 그리고 우리 반도 좋다. (이것 때문에 만은 아님!!)

대망의 여섯째 여섯째는 수업을 재밌게 하시는 것이다. 우리선생은 수업을 정말 재밌게 하신다. 우리는 교과서 말고 선생님이 준비하신 PPT로 대부분 수업을 한다. 수업이 재미가 없으면 따분해서 수업내용이 머릿속에 들어오지 않지만 수업이 재밌으면 머릿속에 잘 박혀서 나의 지능이 올라간다.(?)

오늘은 내가 우리반을 좋아하는 이유에 대해 써보앗다. 이 글을 써보니 우리가 선생님의 말씀을 듯지 안으면 수업을 하기 싫을 것 같다. 앞으로 선생님의 말을 잘들어야 겠다.

제 10화 내가 우리반을 사랑하는 이유

-얘들아 떠들어도..괜찮지..않아!!-

안녕하십니까? 오늘의 주제를 들고 달려온 박작가 입니다. 오늘의 주제는 바로바로.. 내가 우리 반을 사랑하는 이유입니다. 제가 우리 반을 사랑하는 이유는 수천 수백만가지가 넘는데요, 그중에서도 그럴 듯한 거 4가지 뽑아보겠습니다.

첫째, 우리 반에는 멋진 국무총리들과 멋진 장관들이 있습니다. 우리 반 국무총리 친구들은 우리의 손으로 직접 뽑은 자랑스러운 우리의 대표이자 리더입니다. 또한 우리 반 장관 역할 친구들은 자신의 부서의 대표이므로 자기가 맡은일에 최선을 다합니다. 저는 이렇게 우리 반 친구들은 줄을 세우는 일도 하고 채점도 하고 청소도 깔끔하게 해주는 친구들이 우리반의 자랑이자 1호 보물이라고 생각합니다. 또한, 이 친구들이 제 소중한 반 친구들이라는 것에 감사합니다.

둘째, 저희 반에는 왠만한 아이돌 또는 가수보다도 노래를 잘부르시고 더 예쁘신 허지영 선생님이 계십니다. 허지영 선생님께서는 잘못한 친구들에게도 현명한 선택을 내리시고 누구한테나 인기 많을법한 탤런트 같은 선생님이십니다. 어느 곳이든 부족한 구석이 없으신 분이죠. 그야말로 갓벽 그 잡채!! 선생님께서는 우리반에게 색다른 경험을 많이 시키셔서 다른반 친구들이 부럽다고 할때가 종종 있습니다. 그때면 왠지 저도 모르게 기분이 으쓱해집니다. 그리고 공감을 무지 잘해주셔서 친구들이 말할때마다 또는 말 끝낼 때마다 기분 좋아보이는 표정으로 책상으로 돌아갑니다. 그래서 저는 선생님께 '해피 바이러스'라는 멋진 별명을 지어드렸다.

셋째, 우리 반은 항상 웃는 반입니다. 짝꿍끼리도 이성끼리도 동성끼리도 선생님과도 하하호호 웃을 수 있는 반이 있다? 그건 바로 우리 반이다! 이게 얼마나 행복하고 특별 한데요! 진짜 이건 우리 반만 이럴 수 있다. 친구가 장난쳐도 그럴 수 있지 하고 넘어가는 반 별로 없어요~ (결론: 우리 반이 모든 게 짱짱이다.)

여기까지~ 내가 우리 반을 사랑하는 이유였다. 다들 선생님을 사랑하자구요! 물론 친구들과 자신까지~!

제 10화 내가 우리반을 사랑하는 이유

-oasis is king king-

이번에는 내가 우리 오아시스반을 사랑하는
이유를 알려줄려고한다. 이글을 쓸려고 머리를 쥐어 짜냈으니 재미있게 읽어주길 바란다. 그럼지금부터 이야기를 적어보겠다.

첫째 우리반은 마법이있다.
우리반에는 마법의 3문장이 있는데 “오히려 좋아” “틀려도 괜찮아” 그럴수도있지“라는 3문장이다.
이 덕분에 우리반 친구들은 화를 내지않고 마법의 3문장으로 대처한다. 만약 이 마법의 3문장 없었더라면 지금쯤 우리반의 친구들은.....폭주 했을수도있다.

둘째 우리반은 모두가 반짝이들이다.
우리반은 한명만 빛나지않고 서로 못하는 점을 도와주며 모두 다같이 반짝반짝 빛나기 때문이다 한명만 무엇을 잘하고 나머지는 전혀 재능이 없으면 아무 소용이 없는 것이다. 더럽고 어두운 우물에 깨끗한 물 한방울 넣었다고 우물이 깨끗해지지 않는것처럼 셋째 우리반에는 각자 다른 매력의 보석들이 있다.
여가서 말하는 "보석은“ 우리반 친구들을 말하는 것이다. 우리반 친구들은 각자 자기의 매력이 있어 우리반이 더욱 빛나는 것이다. 원래 반배정이 진짜 잘못되면 매력 있는 애들 반에 한명도 없는게 국룰인데 우리반은 운을 잘 타고나서 우리반의 $\frac{1}{2}$의 친구들은 개성이 흘러넘치기 때문이다.

넷째 우리반에는 대통령이 있다.
우리반은 대통령 아래에 국무총리 네명 그리고 그아래 체육부,외교부,통게청,문화부,예술부,복지부등 부가 있는데 여기서 대통령은 우리반 허지영 선생님이시다. 우리반 애들은 운이 좋다 전에 5반 선생님은 아주 끔찍할정도로 애들한테 화를 많이 내시던분인데 우리반은 다행도 선생님이 교체되 아주 좋은 대통령님을 만났기 때문이다.

다섯째 우리반은 세상에서 가장 재미있고 분위기가 화목하다. 복도를 보면 다른반 애들이 우리반 선생님을 구경하러 오는데 그때 마다 어깨뽕이 하늘 끝까지 올라가는 느낌이랄까 한쪽입꼬리를 올리고 우리반을 구경하러

온 얘들을 바라본다. 이렇듯 우리반이 분위기가 좋다는 것은 학교에서도 킹정하는 부분이다.

여기까지 내가 우리반을 사랑하는 이유를 적어보았다. 확실한건 다음화는 더 재밌을것이라는 거다!!

제 10화 내가 우리 반을 사랑하는 이유

-오: 오아시스 반은

아: 아주 멋지고 완벽 그 잡채라는 사실!

시: 시럽처럼 줄줄 흐르는 매력은 덤!

스: 스페셜한 오아시스 반이 이 세상에서 가장

최고의 반이랍니다!-

우리 반은 서울 성일초등학교의 가장 예쁘고 멋지고 귀엽고 똑똑하고 완벽한 반이다. 또 우리 반은 세계적으로도 가장 예쁘고 잘생기고 멋지고 귀엽고 깜찍하고 사랑스럽고 똑똑하고 AI보다 훨씬 더 완벽한 반이기도 하다. (아마?) 우리 반이 이러한 타이틀을 얻게 된 비결을 묻는다면 나의 사랑 덕분이라고 볼 수 있다. 나는 우리 반을 정말 사랑한다. 나는 사랑을 잘 주는 편은 아닌데 말이다. 그런 내가 우리 반을 사랑하는 이유도 분명히 있을 텐데 과연 무엇일까?

첫째, 우리 반은 긍정적이기 때문이다. 현재 우리 반의 유행어는 '그럴 수도 있지 뭐, 오히려 좋아, 틀려도 괜찮아' 이다. 이 말들은 우리 반을 긍정적 이게 만드는 데 큰 도움을 주었다. 그래서 우리 반은 이 말을 유행어처럼 자주 쓰곤 한다. 나는 이 말을 쓰기 전에는 긍정적인 말이나 생각보다 부정적인 말이나 행동을 더 자주 했는데 이 말을 자주 쓰게 된 후 에는 대부분의 사람들이 부정적 이게 생각할 수 있는 것도 긍정적 이게 생각할 수 있게 되었다. 또 우리 반은 이 말 들을 통해 함부로 친구를 비난하거나 부정적인 생각 또는 말을 하지 않게 되었고 긍정적이고 깨끗한 생각 또는 말을 많이 하게 되었다.

둘째, 우리 반은 사춘기나 월요병 등이 없는 활기찬 반이다. 6학년은 생각의 변화가 많이 생기는 시기여서 사춘기나 월요병 등이 많이 생길 수 있다. 하지만 우리 반은 어쩌면 사춘기가 없이 순수한 저학년보다 더 짜증도 없고 활기찬 반일 수도 있을 것 같다. 또 항상 월요일에는 학교 갈 생각에 즐겁고 상쾌한 미라클 모닝을 맞이하는 친구도 많다. 또 긍정적인 반 답게 긍정적인 생각으로 사춘기나 월요병 등을 없앨 수 있는 능력을 가지기도 했다. 우리 반은 앞으로도 우리 반에 활기찬 에너지를 많이 보낼 예정이다.

셋째, 우리 반은 애교가 많다. 우리 반 친구들은 항상 선생님께 많은 사랑과 애정 표현을 해주고 애교를 부릴 때도 있다. 하지만 애교가 조금 지나칠 때도 있다. 그래도 분위기 망치고 비난하는 친구 없이 서로 웃으며 대해주니 우리 반을 더욱 화목하고 애교가 넘치는 반으로 만들어 주는 것 같다.

넷째, 우리 반은 수업에 적극적으로 참여한다. 우리 반 친구들은 체육이나 미술 같은 예체능 과목만 하고 싶어하는 것이 아닌, 수학, 사회 등 재미없게 느껴질 수 있는 과목에도 흥미를 가지고 수업에 적극적으로 참여한다. 물론 선생님께서 항상 재미있는 수업을 해주셔서 그런 것도 있지만 친구들의 수업 태도 덕분에 수업이 더 알차고 재밌게 느껴지는 것 같다.

다섯째, 우리 반은 소외되는 친구 없이 모두가 어울려 지낸다. 특히 남녀 간의 사이에도 거리낌 없이 사이좋게 지내는 것 같다. 6학년뿐만 아니라 모든 학년의 남녀 간에는 사이가 그닥 좋은 반은 별로 없을 텐데 우리 반은 그런 것이 전혀 없이 모두 사이좋고 화목하게 지내는 것 같다. 뿐만아니라 소외되거나 항상 소외되는 친구 없이 잘 지내는 부분도 좋다.

이처럼 나는 우리 반을 정말 많이 사랑한다. 사실 내가 우리 반을 사랑하는 이유는 이것보다 훨씬 더 많지만 전부 자 쓰려면 몇 년은 걸릴 것 같아서 가장 큰 이유 몇 가지만 썼다. 나는 우리 반이 남부럽지 않을 좋은 반인 이유는 우리 반 모두의 덕분인 것 같다고 생각한다. 서로 욕심내지 않고 함께 균형을 이루며 지내는 덕분에 행복한 우리 반에서 지낼 수 있는 것 같다. 앞으로도 꾸준히 우리 반을 행복하게 해주는 것들을 실천하여 지금보다 더욱 행복하고 멋진 우주 최고의 반을 만들고 싶다.

제 10화 우리반이 좋은 이유

-아.이.러.브.마.이.클.래.스-

오늘은 우리 반이 좋은 이유에 관해 설명해 보겠다.

일단 우리 반이 좋은 가장 큰 이유는 선생님이시다. 우리 선생님은 우리 반의 기강이다. 선생님이 기강을 잡아주시기에 우리 반이 을 수 있는 것이다. 또 수업을 엄청 재밌게 해주신다. 선생님 수업을 듣다 보면 40분이 훌쩍 간다. 진짜 시간을 지배하시는 자이신 것 같다.

또 우리 반의 다른 매력은 쥐어박고 싶은 얘들이 있다는 것이다. 우리 반에는 개구쟁이들이 많다. 그래서 조금은 개들이 싫다. 하지만 개들도 가끔 좋을 때가 있다. [하지만 얼마 안 가 다시 싫어진다] 진짜 개구쟁이가 아닌 애들을 보다 나은 점이있다.

부서 활동이 좋다. 우리 반에는 환경부, 예술부, 체육부, 교육부, 교육부, 복지부, 외교부, 통계청, 문화부가 있다. 나는 이런 부서들이 상호작용을 하며 으쌰으쌰하는게 너무 괜찮다고 생각한다. 흠.... 협동심이 길러진다고나 할까? 또 민원 제도가 있어 1분기째 대부분 1인분을 해서 좋은 것 같다.

교실이 깨끗하다. 1분기 때 환경부가 청소를 너무 잘해서 교실이 엄청나게 깨끗하다. 진짜 얼마나 깨끗한지 내가 교실에 있다가 넘어진 적도 있다.^^지어낸 게 아니고 진짜 넘어졌다. 내가 바닥을 한번 쓱 문질렀는데 먼지가 한 톨도 없었다. 누가 환경부를 했는지 딱 봐도 잘생기고 예쁘고 똑똑한 사람들이 환경부였겠지?

오늘은 이렇게 우리 반이 좋은 이유에 대해 써 보았다. 우리 반이 좋은 이유를 다시 한번 새길 수 있어서 좋았다.

제 11화 내가 참 괜찮은 사람이라고 생각되는 순간들

-역시 나야!-

나는 괜찮은 사람일까? 오늘의 수필은 '내가 참 괜찮은 사람이라고 생각되는 순간' 이다. 이번 주제는 계속 생각해 봐도 떠오르지 않는다. 무엇을 써야 할지. 그래도 차근차근 열심히 써보겠다.

첫 번째로는 샤워하고 나서 거울을 볼 때이다. 대부분 사람은 샤워하고 나서 거울을 볼 때

"어? 나 좀 예쁜 듯?"

이러거나

"나 좀 잘생긴 듯?"

라고 한 번쯤은 생각해 봤을 것이다. 나도 마찬가지로 샤워한 후 거울을 보면 좀 잘생긴 것 같아서 기분이 좋다. 그러고는 속으로' 나 좀 괜찮은 사람인데? ' 라고, 생각한다. 역시 샤워 후 거울은 마법과 같은 존재이다.

두 번째로는 내가 수필을 잘 썼을 때이다. 우리 반 친구들이 공감할 수 있을 것이다. 수필 숙제를 끝내고 잘 쓴 거 같은 느낌이 들면 기분이 좋아진다. 그리고 또 수필 숙제를 끝낸 후 한번 읽어

보면 글을 잘 쓴다는 망상에 빠진다. 그럴 때는 내가 좀 괜찮은 사람 같다. ^^

세 번째로는 계속 꾸준히 할 때다. 우리 반 친구 중 몇몇 친구들은 수필 숙제를 안 해오는 게 습관이다. 하지만 그 친구들과 다르게 나는 매일매일 수필 숙제를 열심히 해간다(?). 그리고 선생님의 칭찬과 피드백을 받으면 내가 글을 잘 쓴다는 망상에 빠진다. 그리고 또한 선생님의 칭찬과 피드백을 받으면 내가 좀 괜찮은 사람이라고 생각한다.

글을 써보니 나의 일상 중 내가 좀 괜찮은 사람이라고 생각되는 일이 참 많은 것 같다. 그리고 내가 너무 글을 잘 쓰는 것 같다(?) 다 써서 읽어보니 진짜로 내가 괜찮은 사람인 것 같아서 기분이 좋다^^ 다음 수필도 열심히 써야지!!

제 11화 내가 참 괜찮은 사람으로 생각될 때

-하여튼... 나란 인간-

오늘은 내가 꽤 괜찮은 사람이라고 생각되는 순간에 대해 생각해 보겠다. 난 어딜 가나 벽을 치고 다닌다. 그건 바로? 완.벽.. 대부분 뭐 청소했을 때 뿌듯함이나 노래 부를 때 등등이겠지? 하지만 난 다르다! 뭐가 다른지 궁금하다는 소리가 들려오는 것 같은데.. 기다려봐요! 지금 알려드리죠!! 그럼 이야기 속으로!

첫 번째, 동생 숙제를 도와줄 때이다. 난 가끔씩 동생이 어렵다고 하는 수학 또는 영어 문제를 친절하게 설명해준다. 소름끼치게 잘 말이다! 우리의 선생님께선 매번 수업시간에 말하신다. 동생이 만약 '언니! 나 이거 모르겠어 ' 라고 하면 잘 알려주어야지 수학을 아는 것이라고 말이다. 그래서 난 선생님의 말씀을 가슴에 불어넣고 항상 친절... 하게 알려준다. 그때면 마치 내가 공부의 신이 된 듯 완벽히 다 알고 있는 천재가 된 것 같아진다!

둘째, 내 할 일을 다 했을 때! 난 매일매일 할 일이 있다. 숙제 등등 말이다. 1시간, 2시간, 3시간. 시간 가는 줄 모르고 시간을 써서 할 일 약 13가지를 다 끝내는데 보통 47% 정도는 못 끝내고 잠에 들긴 하지만 가끔씩은, 진짜 가끔씩은! 숙제와 나머지 할 일들을 모두 끝내고 잔다! 이때 내가 완벽의 신이 된 것 같다.

셋째, 시험 100점 100점에 맞았을때이다. 난 화요일 목요일 마다 영어학원에 가는데 갈때마다 매일매일 단어 시험과 문법 시험 각각 50문제와 20문제씩 본다. 거의 맨날 47점과 20점씩 맞긴 하지만 가끔씩은, 진짜 가끔씩은! 50점과 20점에 맞는다! 왠만해서 내가 버킷리스트에다 쓸 정도로 다너문법 백백맞기 10회를 써놓았을 정도로 이걸 해내면 정말 뿌듯하다!

이렇게 내가 완벽한 구석이 있는 것 이제 안 것 같다. 난 바보였던 것일까..? 완벽한 박작가의 이야기 어떠셨는지..?자신이 부족하다고 느낄 때 좋은 점을 찾아보세요! 그럼 자신이 더 행복해질거에요! 그럼 전 다음화로.. 오바!

제 12화 내 마니또 관찰일지

-그런데 말입니다, 내 마니또는 왜 그럴까요?-

오늘은 내가 쓰고 싶었던 주제, '내 마니또 관찰일지'라는 주제로 글을 써보겠다. 내 마니또를 간단하게 소개해보자면 이름은 '김준원' 나와 같은 부회장이다, 특징은 장난끼가 엄청 많다는 점이다. 그럼 지금부터 소개를 시작해보겠다.

첫 번째로, 내 마니또는 선물 받는 것을 좋아한다. 수필 쓰는 기준으로 오늘은 2024년 6월 22일, 토요일이다. 월요일에 마니또 공개날인데 희망자만 선물을 사오면 된다. 근데 내 마니또는 내 정체를 알아서 선물을 사오라고 했다. 한 마디 하고 싶었다. 원래 같으면 사오려고 했는데 사오라는 말에 어이가 없어서 안 사갈 것이다. 그래서 이 점을 바탕으로 내 마니또는 선물 받는 것을 좋아하는 거 같다.

두 번째, 내 마니또는 추리를 은근 잘한다. 왜냐면 내가 마니또 미션으로 편지 하나, 장점 3가지 하나를 써서 주었는데, 글씨를 보더니 나를 보며 썩은미소..아니 피식 웃었다. 이 웃음의 답은 딱 하나이다. "정체를 알았구나!" 어떻게 글씨만 보고 사람을 딱 맞추는지 잘 모르겠다. 아무튼 내 마니또는 추리력이 좀 있는 거 같다.

세 번째는 내 마니또는 웃음이 많다, 학교에서 혼자 있는데도 웃고, 수업시간에도 웃고, 쉬는시간에도 웃는다. 근데 좀 느끼한 웃음이다. 내 마니또는 입이 귀에 걸려있는 거 같다, 가끔은 집에 갈 때 마니또 웃음소리가 들리는 거 같아서 미칠 지경이다. 하지만 나도 학교에서 입이 귀에 달려 있는 것은 기본이기 때문에 뭐라고 할 수는 없다. 앞으로도 많이 웃어줘 마니또 !!

네 번째는 내 마니또는 야비하다. 6학년은 사회 시간에 '주식 레이스'라는 것을 하는데 은근 도박 느낌이 나서 재미있다. 근데 내 마니또가 다른 반이 주식 레이스를 좀 빨리 진행을 했는데 마니또가 다른 반 친구에게 물어봐서 투자를 한 것이다, 이 외에도 몇 명이 더 있는데 프라이버시 때문에 말을 하지는 않겠다. 주식 레이스, 그니까 게임은 정정당당하게 하는 거 아니겠는가? 왜 미리 답을 알고 투자를 해 성공하려는지 모르겠다.

다섯 번째로 내 마니또는 여러 친구들과 잘 지낸다. 보통 다른 친구들 같은 경우에는 남자는 남자끼리 여자는 여자끼리 친한데 내 마니또는 여자 친구들과도 조금 잘 지낸다, 하지만 나처럼 남자 친구들과도 두루두루 잘 지내야 한다. 마니도 나를 본받아라 후후.. 분발하세요 마니또!

드디어 마지막이다. 마니또의 장점을 생각하느라 좀 시간이 걸렸지만 쓰니 나름 훕람있다. 마지막으로 내 마니꼬는 유머 감각이 넘친다. 쉬는 시간에 마니또 옆을 지나가면 재미없는 아재개그를 하고 있다. 심지어 남자 애들은 그걸 듣고 바닥에 누어서 웃기까지 한다. 정말 내 마니또는 해피바이러스를 잘 뿜는거 같다. 마니또야, 우리 남은 시간동안 잘 지내보자!

제 12화 내 마니또 관찰일지

-아하 내 마니또는 이렇군요!~!-

최근 우리 반에서 칭찬 스티커 으쓱 20개를 모아 우리 반에서 마니또를 하게 되었다. 그동안 내 마니또를 관찰하면서 마니또에 대해 알게 된 점이 있다. 내가 마니또에 대해 알게 된 점은 4가지다. 그럼 지금부터 내가 마니또를 관찰하면서 알게 된 점 4가지를 이야기해 보겠다.

첫 번째는 잠이 많은 편이라는 거다. 이것만 보면 우리 반 친구들은 바로 알아차릴 거다. 내 마니또는 바로 13번 이준석이다. ㅋㅋ 준석이는 잠이 많은 거 같다. 수업 시간에 조는 걸 여러 번 봤기 때문이다. 그 덕분에 미션을 몰래 하기에는 수월했다. ㅋㅋ 이렇게 마니또를 하면서 알게 된 점 4가지 중 첫 번째는 잠이 많다는 거다.

두 번째는 남자 애들과 사이가 좋다는 거다. (그니까 그냥 애들이랑 장난을 치고 잘 논다는 말씀 ㅋㅋ) 내 마니또가 남자 애들과 쉬는 시간에 노는지 마니또를 시작하기 전에는 몰랐다. 소극적인 친구라 생각했기 때문이다. 근데 마니또를 하면서 미션할 타이밍을 볼 때 남자아이들과 잡기 놀이를 하는 걸 자주 보게 되었다. 마니또를 하면서 준석이가 남자 애들과 잘 지내는 편이라는 걸 알 수 있었다. 이렇게 두 번째로 남자 애들과 장난을 치는 편이라는 걸 알게 되었다.

세 번째는 선물을 좋아한다는 거다. 선물을 좋아하는 건 당연한 거라 생각할 수 있겠지만 ㅎ 마니또를 시작하기 전 우리 반 모두 마니또에게 나를 소개하는 짧은 글을 썼는데 마니또를 뽑은 후 준석이의 글을 보니 도움받는 걸 싫어하고 말 거는 것도 싫어하고 심지어 선물도 싫어한다 써서 처음엔 어떡하지..하며 심란했었다. 그래도 선물을 주는 미션을 하고 싶어서 준석이 책상에 몰래 내가 만든 뜨개질 팔찌를 두었었다. 근데 글과 다르게 웃으며 선물을 좋아하는 듯했다! 그래서 사실은 선물을 좋아한다는 것을 알게 되었다. 하긴.. 선물을 안 좋아하는 사람은 없지 ㅋㅋ)

네 번째는 추위를 많이 탄다는 거다. 준석이는 맨날 겉옷을 입고 다닌다. 그것도 조금 두꺼운 겉옷으로! 날씨가 28~30도인데 말이다! 다른 친구들은 반팔,반바지를 입어도 덥다고 하는데 두꺼운 겉옷에 긴바지를 입고 있는 마니또를 보며 추위를 많이 탄다는 것을 알게 되었다.

잠이 많다는 것, 남자애들과 장난을 치는 편이라는 것, 선물을 좋아하는 것, 추위를 많이 탄다는 것 총 4가지로 써보았다. 별로 친하지 않은 준석이에 대해 알 수 있어 좋았던 거 같다.

제 12화 내 마니또 관찰일지

-내 마니또에 대하여...-

이번 주제는 내 마니또 관찰일지이다. 2주 동안 마니또를 관찰하면서 마니또에 대해 새롭게 알게 된 것도 있었다. 또 마니또에게 여러 미션도 하고 편지도 써주는 것도 좋았다. 이쯤에서 내 마니또를 공개하자면... 주찬이다! 솔직히 주찬이에 대해 써보자니 어떻게 써야 할지도 고민이 많이 됐고, 이성 친구다 보니 동성 친구보다는 대화를 나눴던 시간도 별로 없었어서 글을 써내려 나가기 어려웠지만 그래도 열심히 써보도록 하겠다!!

가장 먼저 주찬이의 장점이다. 주찬이를 생각해보면 가장 먼저 떠오르는게 바로 '키'이다. 주찬이를 처음에봤을 때는 키가 크긴 큰데 나랑 별로 차이가 없어 보였다. 하지만 나란히 서 보니 그런 생각이 저절로 없어져 버렸다. 나도 키가 큰 편이긴 하지만 주찬이의 키가 워낙 크다 보니 부럽기도 했다. 기회가 된다면 주찬이가 키가 큰 이유, 비결이 뭔지 알고 싶다.

다음으로는 주찬이가 좋아하는 것이다. 주찬이는 신기하게도 쉬는 시간이나 점심시간이 다가올수록 집중도와 텐션이 올라가는 것 같다. 물론 수업 시간에 재미있는 활동을 할 때도 마찬가지 이지만, 그만큼 주찬이는 노는 것이나 좋아하는 것을 할 때는 짝궁이 쓰러

져도 모를 만큼 활동적인 것 같다.

세 번째로는 주찬이가 좋아하는 것이다. 마니또를 시작할 때 나를 소개하는 글을 썼는데 그곳에 주찬이가 밥을 좋아한다고 써져있었다. 그런데 그 밥이 쌀밥인지 아니면 식사를 말하는 건지 모르겠지만 주찬이를 관찰하다 보니 식사를 뜻하는 것 같았다. 어쨌든 결론적으로 주찬이는 급식을 골고루 잘 먹는데 그래서 인지 키가 큰 것 같다는 생각이 들었다.

마지막으로는 주찬이에게 마니또 미션을 했을 때이다. 나는 나의 마니또가 주찬이라는 것을 들키지 않기 위해 여러 친구들에게 미션을 했지만 막상 마니또인 주찬이에게 다가가서 미션을 하려니까 왠지 긴장되었다. 하지만 주찬이가 웃으면서 잘 받아 주어서 뿌듯하고 기분이 좋았다.

이렇게 내 마니또 관찰 일지도 마무리 되었다. 아직 친구들의 마니또를 모르는 상태여서 내가 마니또인 친구는 누구일지 정~~말 궁금했다. 또 이번 마니또는 우리반이 열심히 모은 으쓱으로 한 활동이어서 더욱 재미있고 알찬 시간이었다!

제 13화 무인도에 가져갈 3가지

-올여름 무인도 어때?!-

이번 주제는 무인도에 간다면 3가지 챙겨 갈 것 에 대해 써 겠다. 첫째 볼록렌즈 과학 시간에 배웠는데 볼록렌즈로는 불을 피울 수 있다고 했다. 그래서 나는 과학 쌤을 믿고 불을 피워 보기로 했다. 아마도 과학쌤이 맞지 않을까.... 왜냐 선생님이니까 난 선생님을 믿기로 했다.

둘째 옷 옷은 매우 중요하다. 왜냐면 무인도의 날씨가 어떨지 모르는데 얼어죽거나, 쪄 죽을수도 있어서 옷은 필요하다. 그러고 영화에서 보니까 옷으로 잘해서 물을 얻던데.... 모르겠다. 그냥 옷이 중요 하다는 것만 안다. 아무래도 체온조절이 중요하지 않을까 싶어서 옷을 선택했다.

셋재 악기 왜냐고? 무인도에는 혼자 밖에 없다. 그러니까 외로울 것이다. 그러니 우리가 배우는 뭐.... 리코더를 챙겨가서 불면 외로움이 조금이라도 없어지지 않을까.... 싶다. 그러고 만약에 리코더를 sos 신호로 쓸수도 있을 것 같아서 악기를 선택혔다.

넷째 책(dook) 무인도에는 아무도 없을 것이다. 나는 생각보다 책도 읽는 그런 뭐라고 해야하지..... 음... 나는 유식한 남자다. 좀 어이없긴 하지만 어쨌든 이제 파도가 치는 절벽 바위에 앉아 여유

롭게 책을 잃는.... 그런 짓을 한다면 읽은 책이 마지막이 됐을거다.

여섯째 윌슨 윌슨이 뭐냐면 영화에서 나오는 인형이다. 배구공에 다 얼굴을 그려서 만들었는데 외로움을 달래기 위해서 만들엇다. 그래서 나도 인형을 만들거다. 바로!! 윌슨1 이다. 나 나름 이름을 잘지은 듯...... 어쨌든 나는 윌슨1 과 함께 아름다운 죽음을..... 은 아니고 이 수필의 설정상 죽는건 안돼는 걸로 안다.

일곱째 반려동물 반려동물이 있으면 무인도에서 반려동물이랑 놀면 재밌지 않을까 싶다. 만약 반려동물을 키우게 되면 나는 도마뱀을 키우고 싶다. 키우고 싶은 이유는 친구들이 만이 키워서 나도 키우고 싶다.

오늘은 "무인도에 가져갈 3가지" 에 대해 써보앗다. 그러데 이 글을 써보니 왠지 여행가는 것 같다. 이거는 무인도가 아니라 그냥 하와이 가는 것 같다.ㅋㅋ

제 13화 무인도에 가져갈 3가지

-이것만큼은 꼭 챙겨야지!-

당신이 무인도에 간다면 무엇을 져갈 것인가? 오늘의 수필 주제는 무인도에 가져갈 3가지다.

첫 번째로는 나의 가족들이다. 무인도에 충분한 식량과 안식처가 있어도 무인도에 나만 있다면 아주 외롭고 슬플 것 같다. 그러므로 난 무인도에 간다면 가족들과 같이 갈 것이다. (누나 빼고)

두 번째로는 깨끗한 물이다. 물은 사람에게 꼭 있어야 한다. 왜냐하면 사람은 신체에 물이 조금만 떨어져도 목이 마르고 힘들기 때문이다. 그러므로 물은 꼭 필요하다. 어떤 사람들은 그냥 무인도에 있는 바닷물을 먹는다고 할 수도 있지만, 바닷물을 그냥 먹으면 건강에 이상이 생길 수 있다. 그러므로 나는 바닷물은 절대로 안 먹을 것이다. 또한 내 가족, 식량, 안식처 등등 필요한 것이 다 있어도 물 만큼은 포기할 수 없다. 그러므로 나는 무조건 깨끗한 물을 가져갈 것이다.

마지막! 세 번째로는 베어 그릴스다. 베어 그릴스는 악어를 맨손으로 뚜들겨 패고 지렁이 같은 곤충은 씹어먹는 사람이다. 솔직히 무인도에 하나만 가져갈 수 있다면 나는 베어 그릴스를 갖고 갈 거다.

제 14화 나의 학교생활에 내가 점수를 준다면 몇 점을 줄 건지와 이유

-저기요, 당신 학교 태도 생기부 좀 보여주시겠어요?-

오늘의 주제는 두구두구, 바로 '나의 학교생활에 내가 점수를 준다면 몇 점을 줄 건지와 이유'이다. 한 번 열심히 점수를 매겨보겠다.

첫 번째로 교과 시간 태도이다. 나의 교과 시간 태도 점수는 8점이다. 왜 2점이 깎였는지 설명을 해보자면 가끔 아이들 조용히 시킬 때 장난스럽게 조용히 시키는 점에서 -1점이고, 또 선생님이 대답하라고 할 때 대답을 잘 못해서 -1점이다. 여기까지 읽으면 엄청 내가 까다로운 사람처럼 보이는데, 나는 나의 대해 엄청 엄격하다. 하지만 지킬 건 지킨다는 말씀!

두 번째로 쉬는 시간에 친구들과 놀 때이다. 음 이건 무조건 10점이다. 왜냐하면 보드게임도 하고 친구들과 수다도 떨면 완벽한 쉬는 시간이 생성된다. 그리고 보드게임 중 내가 가장 좋아하는 게임 두 가지를 소개해 보자면 블리츠랑 할리갈리이다. 저 게임 둘다 순발력 게임이어서 내가 좋아하는 것 같다.

세 번째는 나의 숙제 제출 태도이다. 숙제 제출 태도 점수는 9점이다. 이유는 알림장을 봤는데도 준비물을 안 챙기는 경우가 있다. 그래서 이 점에서 -1점이다. 그리고 숙제도 준비물에 포함되는데 그거도 잘 안 가져와서 -0.5점이 나올 수도 있다.

네 번째는 이동시간 태도이다. 이번 점수는 9.5점이다. 0.5점이 빠진 이유를 설명해 보겠다. 가금 내가 이동시간에 장난치면서 걷는데 그 점에서 -0.5점이다. 그리고 앞으로 장난치지 말자! 제발 부탁이니 장난치지 말자, 작가야!

다섯 번째는 친구 관계이다. 친구 관계는 10점이다. 친구들과 이야기를 할 때 친구들을 먼저 말을 하게 하고, 또 상대방을 배려하면서 말을 하기 때문에 10점을 주었다. 그래서 누군가 친구관계에 대해 점수를 매겨보라고 하면 무조건 10점이다. 이상, 친구 관계 점수였다.

여섯 번째, 급식 시간 태도이다. 나는 급식 시간 때에 급식당번이어서 잘 모르겠는데, 점수를 주자면 9점이다. 급식을 나누어 줄 때, 김치나 밥 등등을 더 달라고 해서 주면 “왜 나만 조금 주냐”라고 말하는 친구들이 몇몇 있어서 좀 짜증 난다. 그래도 다음부터는 짜증내지 않고 달라는 만큼 더 줘야겠다는 마음가짐이 생겼다.

앞으로 더 열심히 하는 내가 되었으면 좋겠다.

마지막은 수업 태도이다. 이건 무조건 10점이다. 왜냐면 수업 시간에 집중하고 딴 짓을 안 하기 때문이다. 또 발표도 열심히 하기 때문에 그런 나를 칭찬하고 싶다. 그리고 모든 선생님들의 수업이 재미있기 때문에 더 집중이 잘 되는 거 같다.

제 14화 나의 학교생활

-나의 학교생활! 10점 만점에 몇 점?-

나의 학교생활을 10점 만점으로 점수를 내보겠다! 나의 학교생활 점수는 몇 점일까? 몇 점인지 정하기 위해서 나의 학교생활을 정리해 보았다. 그럼 지금부터 나의 학교생활을 평가해 보겠다!

첫 번째, 학교에서의 친구 관계! 나는 학교에서 아는 친구가 많은 편이다. 우리 반에서 친구들과 친한 건 당근이고, 다른 반에도 친한 친구들이 많다! 다른 반 친구들 중에도 친한 친구들이 많고 우리 반 친구들과도 잘 노니 친구 관계는 합격! 나는 내가 학교에서의 친구 관계가 꽤 괜찮다고 생각한다.

두 번째는 수업 태도다. 나는 수업 시간에 장난을 별로 안 치는 편이고 집중도 꽤 잘한다. 그 건 좋은 점이라 생각하지만 나는 내게 단점이 있다고 생각한다. 다른 친구의 수업 태도는 나와 상관없는 데 나만 잘하면 될 것이지 장난치는 친구나 떠드는 친구한테 계속하지 말라 하는 것이다. 나도 그 점을 고치려고 많이 노력해 보았는데 계속하게 된다. ㅜㅜ 그래서 내 수업 태도는 90% 합격이다. 앞으로 내가 생각하는 나의 단점을 고치기 위해 꾸준히 노력해 봐야겠다!

세 번째는 발표다. 나는 수업 시간에 발표를 많이 한다. 다른 사람들 앞에서 내 생각을 설명하면 성취감이 생기고 뭔가 뿌듯한 마음에 기분이 좋아지기 때문이다. 발표하는 건 수업에 적극적인 태도이니 나는 발표를 많이 하는 것은 좋은 거라 생각한다. 그래서 발표도 합격!

네 번째는 선생님이 원하시는 학생인가 아닌가이다. 우리가 6학년이 된 첫날 선생님이 말씀하셨었다. 선생님이 바라는 학생은 예의 바른 학생, 긍정적이고 적극적인 학생, 최선을 다하는 학생이라고! 나는 이 말씀을 들은 후 이런 학생이 되도록 노력했다. 그래서 지금은 더 긍정적인 학생이 되었다! 나는 지금도 노력하고 있다. 온전한 그런 학생이 되기 위해! 나는 노력하는 것이 좋은 태도라 생각하기에 선생님이 바라시는 학생이 되기 위해 노력하는 것도 합격이라 생각한다!

마지막은 내가 학교생활에 만족하는 점에 대해 이야기하겠다. 나는 학교에 가는 것을 좋아한다. 내가 학교생활을 좋아하는 이유는 오아시스 반에 있기 때문이다. 나는 좋은 선생님, 좋은 친구들이 좋은 학교생활의 환경을 만드는 거라 생각한다. 오아시스 반에 있기에 나는 우리 학교가 더 좋아졌다! 그래서 나는 오아시스 반에 있어 학교생활을 너무너무 만족한다! 만족하는 만큼 합격! ㅎ

이렇게 5가지로 학교생활을 간추려 보았다. 내 생각엔 나의 학교생활 점수는 10점 만점에 10점이다! 생각해 보니 학교생활을 만족하는 정도와 학교가 좋은 정도가 나의 학교생활 점수라 생각이 들었다. 행복한 만큼 좋게 생활하는 거니까! 그래서 나의 학교생활 점수는 10점 만점에 10점이다!!

제 15화 나의 여름방학 계획

-선생님! 계획표에 제 인생을 맞추고 싶지 않습니다!-

오늘의 주제는 '나의 여름방학 계획'이다. 한 번 써보겠다.

여름방학 때 첫 번째로 할 일은 학원에 가기이다. 방학인데 학원에 안 가고 싶지만 안 그러면 내 목숨이 위태로울 수 있다. 하지만 나는 수학 학원이랑, 영어학원이 재미있어서 딱히 가기싫지는 않다. 또, 영어 학원과 수학 학원이 왜 좋은지 말해보자면 영어학원은 선생님이 너무 재밌으시고 가끔은 엉뚱한 행동을 하셔서 재미있다. 수학학원은 친구들이 뜬금없는 질문을 많이 해서 재미있다.

두 번째는 밀린 숙제하기이다. 나는 왠만하면 숙제를 잘 미루지 않는다. (방학숙제 제외) 만약 학원을 수요일에 가면 화요일 밤에 숙제를 한다. 기분이 좋은 날에는 학원을 다녀와서 당일에 하는 날도 있다. 당일에 하는 날은 1%도 안된다.

세 번째는 친구들과 놀기이다. 내가 요즘 바빠서 친구들과 주말에 잘 놀지 못했는데, 방학이 되면 5학년 때 같은 반이었던 친구들과도 놀고 이번 같은 반인 친구들도 같이 놀 것이다. 하지만 친구들과 많이 놀면 돈을 많이 쓰기 때문에 그렇게 많이 놀고 싶지 않다. 또 놀고오면 숙제도 해야한다.

네 번째는 맛있는 것 많이 먹기이다. 이것도 마찬가지로 바빠서 많이 못 먹었는데, 방학이 되면 맛있는 것을 왕창 많이 먹을 것이다. 그리고 많이 먹으면 살이 찌기 때문에 운동도 꾸준히 할 것이다. 하지만 말로만 한다고 하면 아주 건강한 사람이 되겠지만 행동으로는 실천 안 하는 나이다. 이번에는 다이어트에 성공했으면 좋겠다.

다섯 번째는 교회에서 찬양팀 준비하기이다. 내가 평소에 노래하고 춤추는 것을 좋아한다. 이걸 해볼만한 곳이 교회밖에 없어서 한번 도전해보았다. 근데 2주후에 무대 위에 설 수있지만 너무 재미있다. 방학동 안 열심히 연습해서 춤을 잘 추고싶다,

여섯 번째는 취미 생활하기이다. 나는 그림그리기, 포카 포장하기 등이 취미이다. 이런걸 하다보면 행복하고 재미있어서 취미로 삼고 있는 거 같다. 그리고 그림그리기가 왜 좋냐면 내 생각을 그림으로 표현해서 좋기 때문이다. 포카 포장도 내 최애 얼굴을 보니 너무 기분이 좋기 때문이다.

마지막은 잠 많이 자기이다. 그동안 잠을 많이 자지 못해서 방학

동안 엄청 많이 잘 것이다. 늦게 자고 늦게 일어날 것이다. 맹세한다. 하지만 공부는 많이 할 것이다

제 15화 나의 여름방학중 가장 기억에 남는 일

-개학은 너에게 다가가는 중-

이번 주제는 여름방학중 가장 기억에 나는 일에 대해 써보겠다. 첫째 키가 커진 것이다 여름 방학이 끝나고 슬픈 개학을 맞이했는데 선생님이 나보고 키가 왜 이렇게 컸냐고 물어 보셨다. 그래서 기분이 좋다. 키가 꼭 크겠다고 했는데 이루어져서 신기하고 기분이가 좋다.

둘째 스케이트 보드를 타게된 것 우연히 놀이터에서 원종이를 봐서 놀았는데 원종이가 나에게 보드를 선물해서 지금은 타다가 버렸다. 보드가 너무 낡아서 타기가 너무 위험해서 버리고 새 보드를 샀다. 롱보드를 삿는데 속도가 너무 잘붙어서 속도가 매우 빠르다.

셋째 수영장에 못간 것 나는 수영장에 꼭 가고 싶엇는데 아쉽게도 못 가게 됐다. 수영장에 너무너무 가고 싶었는데 바빠서 못 가게 됐다. 이 더운 여름에 시원한 수영장에 들어가서 놀면 천국이 따로 없을 것 같다.

넷째 도서관을 매주 1~4번은 들린 것 요즘 해리포터에 빠져서 도서관을 거의 매주 간다. 지금은 불사조 기사단을 읽고 있다. 해리포터는 진짜 명작인 것 같다. 너무 재밌어서 하루종일 책만 본다. 난 해리포터 중에서는 비밀에방? 뭐시기가 제일 재밌다. 해리포터를 안본 사람은 진짜 후회할수 있으니 꼭 읽어 보는걸 추천한다.

다섯째 필리핀에서 온 강*아 씨와 신*희 씨가 한국에 놀러와서 같이 방탈출도 하고 재밌게 놀았다. 그러고 뮤지컬도 봤는데 맛있는 빵을 던저 줘서 많이 잡았다. 어쨌든 그렇게 재밌는 시간을 보낸후 강*아 씨가 우리 집에 놀러와서 또 놀았다.

여섯째 방학이 너무 짧다는 것 진짜 솔직히 방학이 너무 짧다. 방학이 주말빼면 2주~3주 밖에 없다. 우리학교 애들이 모두 경악했다. 와 진짜 어떻게 그럴수 있는지 너무 끔직하다. 나중에 우리학교 후배들은 이런 경험을 하지 않으면 좋겠다.

일곱째 해리포터를 거의 다 읽어가는 것 이제 좀있으면 해리포터를 다 읽어간다. 벌써 다 읽어 간다니 조금더 아껴 읽을걸. (?) 근데 충격적인 점은 해리포터를 읽은지 1주일 밖에 안된 것이다. 해리포터처럼 재밌는 책을 찾아야 할탠데..... 모두다 해리포터를 읽으면 좋겠다. (광고 절대 아님)

나중 여름방학은 길면 좋겠다.

제 16화 나의 여름방학

-이것은 방학인가 맛집 탐방인가-

하이루!(너무 옛날 인사 방식인가?? ㅋㅋ) 16화 주제는 나의 여름방학이다. 이번 여름방학은 20일, 거의 3주 정도 되는 짧은 시간이었다. ㅜㅜ 하지만 나는 3주 동안 정말 많은 일을 하며 알차게 보냈다! 내 알찬 방학을 기억에 잘 남는 것들만 모아 이야기해 주겠다.

나는 가족과 속초 여행 2박 3일을 갔다. 속초에서 제일 맛있게 먹은 음식은?!.......못 고르겠다. ㅎ 여행 와서 먹는 건 다 맛있지!~ (참고로 속초에서 먹은 건 소라 장칼국수, 물회, 섭국, 닭강정 등이다) 숙소에서 먹은 컵떡볶이, 라면도 그냥 먹는 것보다 맛있었다! ㅎ 아..배고파졌엉 ㅎ 꼬르륵~

또 여행 마지막 날에는 아침에 체크아웃하고 곧바로 춘천으로 갔다. 춘천하면 뭐다? 닭갈비!! 그렇게 우리의 점심은 춘천 닭갈비가 되었다. 진짜 닭갈비는 춘천이 제맛인 거 같다!! 아.. 안돼 아까도 그렇고 닭갈비 이야기하니까 군침이 돌아..ㅜ 그럼 이제 닭갈비 이야기는 끝~ 그렇게 우리의 속초+춘천 여행은 끝이 났다. (사실 카페도 갔었지~)

여행을 다녀온 후 얼마 뒤, 우리 가족은 외할머니 댁에 갔다. 2박 3일로 갔는데 그중에 주일이 있었다. 그래서 할머니, 할아버지가 다니시는 교회에 따라갔다. 할머니가 다니시는 교회는 내가 다니는 교회와 달라 신기했다. 할머니 교회엔 성가대가 있고 내가 다니는 교회는 목사님이 진짜 많은 데 거기엔 목사님이 2명밖에 안 계셨다. 아! 또 할머니 친구 권사님들께서 "아이고 전교 회장님을 직접 보다니!" 하시며 용돈도 주시고 오빠와 나를 칭찬해 주셨다. 할머니, 할아버지께서 우리 자랑을 많이 하셨나보다 ㅎㅎ 그렇게 주일을 할머니 교회에서 즐거운 시간을 보냈다.

그리고 할머니 댁에 왔으면 빠질 수 없는 이야기 하나! 바로 할머니표 집밥이다. 할머니는 우리가 할머니 댁에 올 때마다 맛있는 음식들을 해주신다. 예를 들어 감자탕, 닭갈비, 잔치국수 등! 이번에는 잔치국수와 김치전, 된장찌개 등을 해주셨다. 평범해 보이는 음식 이름이지만 맛을 보면 식당에서 파는 것보다 2배, 3배, 4배! 더 맛있다. 엄마의 음식도 맛있지만 엄마의 엄마인 할머니 음식은 이기지 못하는 거 같다. ㅎ 아..다시 놀러 가서 먹고 싶다. ㅜㅜ 또! 할머니가 만들어 주신 건 아니지만 맛있게 먹은 음식이 있다. 바로 해장국! 우리 외할머니는 양평에 사시는데 다른 사람들은 양평 하면 맑은 물을 생각하지만 나는 양평 하면 해장국이 생각난다. ㅋㅋ 특히 나는 해장국 속 '양'이라는 재료를 제일 좋아한다. 꼭 먹어보시길!~

또 우리 가족은 할머니 댁 쪽에 도서관이 새로 생겨서 한 번 가보았다. 그 도서관은 진짜 컸고 1~2층이 다 책으로 감싸져 있었다! 너무 좋았어 할머니 댁 올 때마다 갈 예정이다. ㅎㅎ 그리고 도서관 옆 건물이 미술관이어서 미술관도 가보았다. 미술관에는 가슴 아픈 그림이 많았다. 일제 강점기 때 고통받았던 사람들의 모습이 너무 생생하게 그려져 있어 마음이 안 좋았다. 우리가 이렇게 고통받던 나라였지만 외국사람들이 오고 싶어 하고 다 아는 나라가 되었다니! 비가 오면 그 뒤에 무지개가 있는 것처럼 성장한 우리나라가 놀랍다. 우리나라가 발전한 만큼 그 시절 고통 받고 희생하신 분들께 언제나 감사해야 한다는 마음이 들었다. 가슴 아픈 그림들을 지나면 독창적이고 재미있는 그림과 풍경화가 전시되어 있었다. 독특한 매력을 갖은 그림을 보며 '어떻게 저런 아이디어를 떠올렸지?' 하며 감탄했다. 풍경화를 보며 '나도 저렇게 그려보고 싶다!' 생각하고 있었는데 작가 사진에서 봤던 진짜 작가님이 풍경화를 어떤 분에게 설명하고 있으셨다. 미술관에 있는 모든 그림을 다 그리신 작가님이! 뭔가 되게 두근거리고 유명인을 만난 것처럼 기분이 좋았다. 미술작가님을 뵈다니! 역시 난 럭키해~

또 기억에 남는 시간은 가족과의 시간이다. 아빠도 휴가셔서 일주일 동안 가족과 시간을 보냈다. 일주일 중 가장 기억나는 시간은 스타필드에 간 일이다. 강아지를 풀어놓을 수 있는 강아지 공원이 생겼다고 해 가보았는데 루이가 너무 좋아해 나도 덩달아 기분이 좋았다. 귀여운 애 옆에 귀여운 애가 너무 많으니 내 심장은..컥!♡ 루이가 좋아해 기뻤지만 목욕하는 날에만 가야겠다. ㅋㅋ 너무 지지해져~ 그리고 가족과 보드게임도 했다. 스플렌더라는 게임인데 속초 여행 중 재미있어 보여 샀었다. 근데 이상하게 가족 4명이 하는데 자꾸 나는 3~4등을 한다. 어라 이상하다.. 나 원래 보드게임 고수인데? ㅋㅋ

마지막으로 방학 중 기억나는 일은 올림픽이다. 한국인이라면 한국 경기는 꼭 봐야지!! 내가 올림픽 종류 중 좋아하는 스포츠는 양궁, 펜싱, 탁구다. 양궁하면 역시 한국! 메달 싹~쓸어가는 한국 양궁 팀! 너무 멋있다. 특히 나는 이우석 선수가 제일 좋다. 또 우리나라는 펜싱도 잘한다! 남자 단체전 금메달! 여자 단체전 은메달! 등 많은 메달은 땄다. 펜싱은 정말 멋진 스포츠인 거 같다. 우아하면서도 짜릿한! 내가 펜싱 선수 중 가장 좋아하는 선수는 오상욱 선수다. 펜싱도 잘하고 잘생기기 때문에! ㅎㅎ 그리고 탁구를 좋아하는 이유는 신유빈 선수 때문이다. 내가 더 어리지만 신유빈 선수는 너무 귀여운 거 같다. ㅎㅎ 삐약이 선수! 화이팅~

이렇게 방학 중 가장 기억나는 일들을 써보았다. 처음에 얘기한 것처럼 방학을 정말 알차게 보낸 거 같아 기분이 좋다! (알차게 먹고 알차게 놀고! ㅋㅋ) 2학기도 얼마 안 남았으니 남은 방학을 신나게 즐겨야겠다. 그럼 2학기도 화이팅!~

제 17화 독후감

-해리포터 아스카반의 죄수-

이번 주제는 독후감이다. 내가 읽은 책은 “해리포터 아스카 반의 죄수” 다. 그럼 시작

내가 요즘 읽고 있는 책 해리포터 아스카 반의 죄수는 해리포터를 죽이려 한다는 시리우스 블랙은 과연 진짜로 해리를 죽이는 걸까? 라고 생각했는데 알고 보니 시리우스 블랙은 해리의 삼촌 이였다는 건 것이 신기했다. 그리고 책으로 볼 때는 루핀 교수가 여자인 줄 알았는데 영화에서 보니까 남자였다. 그러고 더 놀란 것은 루핀 교수가 늑대인간이었다는 것이다. 그러고 앞내용이 너무 궁금해서 봤는데 스네! 이프 교수가 덤블도어 교수를 죽인다. 그래서 스네 이프를 혐오하고 있었는데 알고 보니까 덤블도어가 스네이프보고 나를 죽여달라 해서 죽인 거였다. 그러고 스네 이프 교수가 죽는데 너무 슬펐다. 스네이프는 완전 착한 교수였는데 일부러 해리포터에게 못되게 굴었다는 것이다. 스네이프가 해리포터의 엄마인 릴리 포터를 좋아해서 해리포터가 죽을뻔 한 거를 살려 주었다. 그리고 충격적인 것은 해리포터의 아빠가 스네 이프 교수를 괴롭혔다는 엄청난 이야기 그래서 나도 충격을 받았다. 어쨌든 이제 끝내겠다.

오늘은 독후감을 써보았다. 남은 해리포터 책을 빨리 읽고 싶다.

제 18화 만약에 내가 남자라면?

-세상에 이런 상상이!-

이런 상상은 처음 해보는 거 같다. 내가 남자라면? 일단 얼굴은 오빠랑 똑같을 거다.ㅋㅋ 주변에서 오빠랑 내가 붕어빵이라는 말을 많이 들었기 때문이다.(그래도 내가 더 잘생겼을 거다) 상상해 보니 남자가 된다면 해보고 싶은 게 꽤 많은 거 같다. 그럼 지금부터 이야기를 시작하겠다!

첫 번째로 내가 본 남자애들의 행동을 보고 내가 남자라면 어떨까 생각해 본 것에 대해 얘기해주겠다. 바로 힘자랑이다. 가끔 남자애들을 보면 애들끼리 팔씨름하고 죽빵(?)을 날리며 누가 더 센지 대결한다. 다칠 수도 있는데 왜 그러지? 했는데 만약 내가 남자라면 나는 승부욕이 강한 편이라 나도 대결하며 힘자랑을 할거같다. ㅎ

두 번째! 여자애들 놀리기다. 증말~ 남자친구들은 왜 여자친구들을 놀리는지 모르겠다. 물론 여자애들도 남자애들을 놀리지만 ㅋㅋ 만약 내가 남자라면 여자애들을 놀리지 않을 거다. 조금은 놀릴 수도 있겠지만 안 놀리고 싶다. 여자애들이 봤을 때 내가 어떻게 될지 아니까 ㅋㅋ

세 번째는 호날두 따라 하기다. 독자 여러분도 한 번쯤은 들어보셨을 거다. 호날두 쑤우우우우!!!! 학교 복도에서 남자친구들이 많이 하고 다닌다. 만약 내가 남자라면 같이 호날두를 따라 해보고 싶다. 친구들과 같이하면 마음이 뭔가 뭉클(?)+웅장하면서 재미있을 거 같다! 우리 모두 함께 쑤우우우우우!!!~~~~~

내가 남자라면 하고 싶은 일은 운동장에서 축구를 하는 것이다. 방과 후 운동장에서 축구하는 남자친구들을 보면 부러울 때가 있다. 나는 공놀이를 되게 좋아하는데 반면 다른 여자친구들은 축구, 농구 등 체육을 싫어하는 친구들이 많아 여자친구들이랑 축구 같은 걸 해본 적이 없다. 만약 내가 남자라면 재미있게 뛰어다니며 낭만 있게 운동장에서 땀 흘리고 축구하고 싶다.

또 내가 남자라면 좋은 일은 체력적으로 많이 활동하는 거다. 여자로서는 하고 싶은 게 많아도 체력이 별로 없어서 대부분 남자들이 여자들보다 체력이 좋으니 자전거로 다른 지역 가보기 등 더 많은 활동을 해보고 싶다. 그리고 벌레도 안 무서워 하고 싶다. ㅋㅋ 나는 벌레를 무서워하고 안 좋아해서 큰 거는 못 잡는다. 만약에 내가 남자가 된다면 학교에서도 집에서도 벌레가 보이면 무서워하지 않고 잡을 수 있으면 좋겠다! 여자애들한테 잘 보이기 위해서도 ㅋㅋ

또 내가 남자라면 하고 싶은 일은! 왜지? 하며 이해 못 할 수도 있지만 군대 가기다. 남자는 의무적으로 군대에 가야 하는 건 다 알고 있을 거다. 군대에 가기 싫어하는 남자들도 많지만 나는 군대에 가면 훈련도 많이 하니 몸도 좋아지고 친구도 사귀고 다녀온 후 뿌듯함이 흘러넘칠 거 같아 가보고 싶다. 그리고 군대에 가면 철도 들고 책임감도 늘고 좋은 시간을 보낼 거 같다! 허지영 선생님을 향해 경례! 충! 성!

마지막으로 내가 남자라면 쿨한 친구 관계를 맺고 싶다. 여자들의 친구 관계는 진~짜 복잡하고 너무 힘들다.ㅜㅜ 하지만 남자친구들을 보면 무슨 일이 있어도 쿨하게 넘기고~ 서로 치고박고 싸워도 다음 날에는 잘 지내고~ 쿨하게 지내는 거 같아 나도 남자라면 저렇게 편한 친구 관계를 맺고 싶다!

이렇게 만약 내가 남자라면? 이라는 주제로 글을 써보았다. 상상하는 내내 '진짜 이러면 재미있겠다.ㅋㅋ'하며 미소가 지어졌었다. 그러면 지금까지 내가 남자라면? 상상하는 이야기였다!~

제 19화 미래의 아내에게 바라는 점

-척하면 척이쟈녀-

오늘은 '미래의 내 아내에게 바라는 점'이라는 주제로 글쓰기를 해보겠다. 내가 아내에게 바라는 점은 6가지이다. 만약 미래의 아내가 내 책을 읽고 있다면 참고하라 나중에 커서도 취향이 안 바뀔 테니까! 그러면 지금 바로 시작합니다. 재밌게 보세용

첫 번째로 내가 원하는 것은 유머코드이다. 아내랑 같이 생활하다 보면 대화를 자주 할 텐데 그럴 때 내 농담을 받아주는 그런 아내를 원한다. 나는 엄마, 아빠랑 생활하는데 가족들 모두 유머코드가 맞아 농담도 주고받으면서 분위기가 좋아진다는 그런 경험이 있기에 유머코드를 중요히 생각한다. 만약 유머코드가 안 맞으면 대화가 재미없을 것 같다.

두 번째는 음식을 기막히게 해주는 걸 원한다. 사람은 왜 살아가는가? 먹기 위해서 살아간다. 야생동물들도 먹고 번식을 퍼뜨리기 위해 살아가는데 그건 사람도 똑같다. 그러니 먹기 위해 살아간다. 하물며 사람인 나도 먹기가 인생의 낙중 하나이다. 그런데 아내가 요리를 못하면 나만 요리 담당일 테니 그건 좀 그렇다. 뭐 아내를 위해 요리는 하는 건 좋지만 매일 삼시 세끼를 요리하다 보면 힘들

것 같다. 그러니 요리를 잘했으면….

세 번째는 예뻐야 한다. 이것은 나의 욕심인데 희망 사항에는 넣을 수 있지 않은가? 세상에서 예쁜 사람을 싫어하는 사람은 극히 드물 것이다. [하지만 예쁘고 인성이 나쁘면 안 됨] 근데 예쁘다는 것이 애매한 게 사람마다 기준이 다르다. 어떤 사람은 안 예쁘다는 사람이 있고 또 다른 사람은 예쁘다고 할 수 있는 것이다. 그래서 내 이상형을 말하자면 아이돌처럼 예쁘면 된다.

네 번째는 게임을 좋아하면 좋겠다. 내가 가장 좋아하는 취미가 게임인데 내 취미를 공유할 수 있으면 좋은 점이 많을 것이다. 일단 대화의 주제가 늘어나고 같이 게임을 마며 추억을 쌓을 수 있다. 그러면 유대감도 쌓일 것이다. 더 친해지고 그럴 것이다. 현질이나 스킨을 사도 이해해 줄 가능성이 높다. 이런 것들이 장점이다.

다섯 번째 나의 부족한 점을 이해해 줄 수 있는 사람이었으면 좋겠다. 같이 생활하다 보면 서로의 장단점을 더 많이 알게 된다. 그럴 때 나의 부족한 점 즉 단점을 보고 실망을 한다면 서로의 관계가 서먹해질 것이다. 그리고 그런 단점들을 보고 실망을 한다면 나는 너무 속상할 것 같다. 그리고 그런 단점들을 보고 실망을 한다면 그릇이 작은 것이다. 사람은 누구나 단점 가지고 있다. 근데 그런 거로 실망하면 그릇이 작은 건 당연하다.

오늘은 이렇게 내 미래의 아내에게 바라는 점을 써보았다. 이 글을 쓰며 내가 바라는 점이 무엇인지 알았다.

to·미래의 아내에게

미래의 아내님 저의 부족한 점이 있을 거예요 그런 점 양해 부탁드려요~~

제 19화 나의 미래 배우자의 조건

-예쁜 사람만 만나야지!-

오늘의 수필 주제는 '나의 미래 부인에 대한 바라는 점'이다. 벌써 나의 이상형 아내를 생각해 보니 기분이 좋다!

첫 번째로 바라는 점은 다정함이다. 공자의 말을 따르면 우리가 예쁜 사람을 좋아하는 것은 예쁜 사람이 흔하지 않기 때문이라고 한다. 하지만 나는 아무리 예쁜 사람이어도 다정하지 않으면 바로 호감이 사라진다. 왜냐하면 나는 얼굴보다는 마음을 보는 편이 다(?) 그러므로 나의 아내는 무조건 다정해야 한다.

두 번째로는 공감 잘해주는 것이다. 첫 번째에서 말했듯이 얼굴이 예뻐도 공감을 못하면 싫다. 라고 말하면 재미가 없으니 다른 이유를 말해보겠다. 우선, 아내가 공감을 해주지 않으면 매일매일 심심할 것 같다. 지금은 부모님이 있지만 아내와 둘이 살 때 공감을 해주지 않는다면…? 상상도 하기 싫다. 나는 무조건 F를 만나야겠다.

세 번째로는 마기꾼이 아니어야 한다. 마기꾼이라는 말은 코로나가 유명해지면서 사용하게 되었다. 물론 마기꾼이라는 말을 많이 쓰는 만큼 마기꾼도 많이 늘어났다. 예시를 들자면 우리 엄마다. 우리 엄마는 코로나가 시작되고 나서 마스크를 쓰기 시작하고 지금까지 쓰고 있다. 그 이유는 바로 더 예뻐지니까. 물론 연예인급으로 예뻐지는 건 아니다. 그래도 우리 엄마는 못생긴 건 아니다.^^

오늘의 수필은 여기까지! 내 미래의 아내를 생각해 보니깐 벌써 기분이 산뜻하다.

제 19화 내 미래 남편의 조건

-100세까지 결혼 실패?~!?!?!?-

19화. 이번과의 주제는 내 남편 조건이 주제다. 그럼, 이제 시작!

첫 번째로 원하는 건 마음이다. 일단 가족만 좋아해야 한다. 바람을 피우지 않게 그리고, 배려를 잘하고 웃음도 많고 재밌고 아이들을 잘 돌봐주는 그런 남편이자 (아이들에) 아빠여야 한다. 꼭!

두 번째는 외모, 몸이다. 힘이 세고 건강해야 한다. 그래야지 나랑 내가 나을 아이들을 지켜줘야 하니까! 그런 남편이 있으면 너무 멋지고 든든할 것 같다. 외모는 차은우 + 변우석 을 원한다. 진짜 그 얼굴에 남편이라면 세상을 다 가진 것 같겠지?

세 번째는 돈(?) 이다. 돈이 많아서 다 사주는 것도 그렇고, 집도 좋은 곳을 사주는 것이 생각만 하더라도 입이 실룩 올라온다. 대신 나도 남편이 해달라는 것을 다 해줄 것이다. 공.평.하.게!

네 번째는 직업이다. 일단 안되는 것은 판사, 변호사, 군인, 개그

맨, 댄서, 공장에서 일하는 사람(?)이고, 되는 직업은 발레리노, 경찰, 가수, 아이돌, 모델, 의사 등등이다. 그 이유는 발레리노는 너무 내 취향이고, 경찰은 너무 듬직하고, 가수, 아이돌은 유명해서 좋고, 모델이면 비율이 좋고, 의사도 든든하기 때문이다.

그리고 안되는 직업의 이유는 판사나 변호사는 무서울 것 같고, 군인은 전쟁이 난다면 죽을 수도 있고, 개그맨은 그냥 싫고 유명하지 않을 수도 있다. 댄서도 유명하지 않아서이고, 공장에서 일하면 다칠 수도 있고 돈도 많이 못 벌 수도 있기 때문이다.

마지막은 박사 같은 남편이다. 마지막은 박사 같은 남편이다. 그 이유는 장난감, 책상, 의자, 등등 이런걸 손쉽게 고쳐준다면 너무 멋질 것 같기 때문이다. 마치 우리 아빠처럼!!

지금까지 19화를 써봤다. 아무래도 나는 결혼을 못 할 것 같다. 왜냐하면 이렇게 완벽한 사람은 별로 없기 때문이다. 그래도 이 글을 쓰면서 설레고 좋았다. 이번 글도 끝!

제 19화 나의 미래 배우자 조건

-어디 있나! 내 육각형 배우자♥-

나는 내 배우자에 대해 상상을 해본 적이 많다. 아흐~ 설레라! 내 배우자는 어떤 사람일까? 나의 배우자 조건에 잘 맞는 사람이면 좋겠다! ㅎㅎ 그럼 지금부터 내 배우자 조건을 알려주겠다!

첫 번째 조건은 무조건!이어야 한다. 교회를 잘 다니고 신앙이 깊은 사람! 내 배우자가 예수님을 안 믿는다면 같이 천국에 갈 수 없으니 슬플 거 같다. ㅜ.ㅜ 내가 사랑하는 사람을 천국에서 만날 수 없으니..뿌에에엥 또 교회를 같이 다니며 신앙생활을 하면 정말 행복할 거 같다! 그래서 내 첫 번째 배우자 조건은 교회를 잘 다니고 신앙이 좋은 사람이다.

두 번째 조건은 돈을 잘 벌어오는 것이다. 나는.. 하고 싶은 게 너무 많은 사람이다. 로망도 많고~ 먹고 싶은 것도 많고~좋은 집에서 살고싶구~ 여행도 많이 다니고 싶고!! ㅎ 미래의 남편.. 미안해~ 나 때문에 고생 많이 할 거야~ ㅋㅋ

세 번째 조건은 잘생긴 외모와 큰 키다. 내 이상형은 강아지상에

훈훈한 스타일! 다정한 사람이다. 내가 좋아하는 외모를 연예인으로 이야기하자면 김원필, 김수현, 차은우, 정해인 같은 사람? ㅋㅋ 꿈이 너무 큰가? ㅎ 그리고 키는 180cm 이상이면 좋겠다. 만약에 내 배우자가 나보다 키가 작으면 좀.. 그럴거 같다. ㅎ 나이까지 따지자면.. 나보다 연상이면 좋을 거 같다!

네 번째 조건은 나랑 잘 맞는 사람이다. 예를 들어 이야기하자면 나는 자전거를 좋아해 같이 타고 싶은데 남편이 싫어하면 같이 못 타니 함께 즐기지 못해 속상할 거 같다. 그리고 나랑 안 맞는 부분이 있더라도 나에게 맞춰 주려 노력해 주면 좋겠다! 물론 나도 노력할 거지만! 그래서 네 번째 조건은 나랑 잘 맞는 사람이다.

다섯 번째 조건은 다정함x100이다. 나는 츤데레 스타일보단 다정한 스타일을 더 좋아한다. 늘 웃으며 내게 이야기해 주고 잘 챙겨주는 사람!

여섯 번째 조건은 예의가 바른 사람이다. 나는 내 배우자가 노약자이신 주변 할아버지, 할머니께 친절히 대하고 무엇보다 우리 가족에게 잘 대하는 사람이면 좋겠다. 나는 예의 없는 걸 싫어하기 때문이다.

마지막 일곱 번째 조건은 집안일을 잘 도와주는 것이다. 나는 아이 두 명을 낳고 싶은데 아이와 잘 놀아주고 돌봐주고 내가 먹고

싶은 음식도 요리해 주고 집 청소도 잘 도와주는 남편을 만나고 싶다! 이런 남편이 있을진 모르겠지만 ㅋㅋ

이렇게 총 7가지 나의 배우자 조건을 이야기해 보았다. 진짜 이런 배우자가 있을까? ㅋㅋ 이런 남편을 만난다면 나는 진짜 진짜 럭키주윤일거다. 그리고 정말 화목한 가정을 이룰 수 있을 거다. 내가 이런 배우자를 만난다면 나 또한 좋은 부인이 되고 싶다. 아니! 될 거다. 내 배우자에게 좋은 아내가 될 수 있도록 늘 힘쓸 거다! 그럼 지금까지 진짜 있다면 완벽한 배우자인 내 배우자 조건을 소개해 보았다!

제 20화 내가 만약 어른이 된다면?

-언젠가 어른이 되겠지만..-

독자 여러분은 내가 어른이 된다면 상상해 본 적이 있는가? 나는 가끔 '내가 어른이라면...' 생각해본 적이 많다. 이미 눈치챘을 수도 있지만 오늘의 주제는 만약 내가 어른이 된다면? 이다. 난 어른이 돼서 하고 싶은 게 너무x100 많다. 그중 대표적으로 하고 싶은 것들을 이야기해 보겠다. 레츠 고~

내가 만약 어른이 된다면 나는 운전을 해보고 싶다. 나는 액티비티를 좋아하고 즐기는 편이다. 그래서 아빠나 엄마가 운전하는 걸 보면 가끔 '나도 나중에 운전해 보고 싶다.' 하며 멋있게 보았다. 그리고 운전은 어른들만 할 수 있으니 더 해보고 싶고 짜릿하고 신이 날 거 같아 액티비티를 좋아하는 나에게 안성맞춤일 거 같다. 부우웅! 차를 운전하는 나.. 넘 멋있을 거 같아~~♥ ㅋㅋ

그리고 나는 독립도 해보고 싶다. 물론 어른이 돼서도 부모님과 함께 살고 싶은 마음도 있지만 왜 독립을 하고싶냐!! 바로 내 집을 내 느낌대로 내 감성대로 꾸며보고 싶기 때문이다. 아기자기한 소품, 깔끔하고 감성 넘치는 인테리어로 집을 꾸미고 싶다. 만약 내가 어른이 돼서 독립을 해 내가 원하는 집을 이루면 정말 행복할거같

다! 으흠.. 부모님이 없으셔서 고난이 찾아올거같기도 하지만 ㅎ 엄마아빠! 꼭 내 집 주변에 사셔야해요~ㅎ

또 나는 커피를 마셔보고싶다. 아직 나는 커피의 맛을 모른다. 옛날에 어느 카페에서 내 음료인 줄 알고 엄마 커피를 한 모금 마셔버렸었는데 너무 써서 깜짝 놀랐었다. 그리고 '어른들은 이걸 어떻게 마시지?' 싶었다. 근데 어른들은

"너는 어른의 맛을 모르는거야~"

"커피의 맛을 아직 몰라몰라 ㅋㅋ"

하신다. 그래서 만약 내가 어른이 된다면 어른의 맛이라는 커피를 즐기며 마셔보고 싶다. 근데 달달구리 러버인 내가 과연 어른이 된다해도 커피를 좋아하게 될수있을까..? ㅋㅋ

그 다음으로 내가 어른이 된다면 내가 번 돈으로 무언가를 사보고싶다. 내가 번 돈으로 무언가를 사면 뿌듯하고 감격스러울거같다. 또 내가 번 돈으로 내가 원하는 것을 사는 거니 나.. 좀 성장했ㄷr.. 하는 생각에 입꼬리가 실실 올라가며 기분이 좋을 거같다. 처음 번 돈으로는 엄마아빠 선물 사드려야지~! 엄마아빠! 기다리세욧! 효녀 주윤이가 어른되면 선물 사드릴게요!~ ㅎㅎ

그리고 내가 어른이 된다면 친구들과 자주 놀고 싶다. 학생의 삶이란.. 학교갔다 학원갔다 숙제하는 삶이다. 놀 시간도 있긴 하지만 친구들과 자주 놀지 못한다.(혼자서는 잘 놀지 ㅋㅋ) 만약 내가 어른이 된다면 친구들과 자주 놀며 휴식을 즐기고 싶다. 친구들과 놀

면 걱정이 사라지고 신나고 즐거운 마음뿐이기 때문이다.

그리고 마지막으로 해보고 싶은 건은 연애다. 우리 엄마아빠는 나한테 연애는 어른 돼서 하라고 학생 때는 절대 안 된다고 하셨다. 나도 연애에 원래 관심이 없었는데 6학년 후반 때부터 호기심이 생겼다. 그래서 엄마아빠의 말씀대로 어른이 되면 연애를 해보고 싶다.

이렇게 만약 내가 어른이 된다면?이라는 주제로 어른이 되면 하고 싶은 일 6가지를 적어보았다. 나는 가끔 빨리 어른이 되고싶다라는 생각을 많이한다. 어른이면 자유롭고 편하게 살수있다 생각했기 때문이다. 근데 곰곰이 생각해 보니 어른의 삶이 더 힘든 거 같다. 어른은 자유롭다 생각 했지만 일도 해야하고 사회 속에 나가 여러 스트레스와 고민도 많을 거다. 그리고 어린이보다 책임도 크기도 하다. 그래서 나는 지금 어린 시절을 즐기기로 했다! 지금이 제일 좋을 시절인데 즐겨야지! 안 그러면 나중에 후회를 안 할거같다! ㅎ 지금의 나! 주윤아 현재를 즐기며 열심히 살아보자! 아자아자 화이팅~~

제 20화 내가 만약 오늘 하루 어른이 된다면?

-하고 싶은게 너무 많아!-

이번 수필 주제는 '내가 만약 오늘 하루 어른이 된다면?' 이다. 나는 어른이 되면 하고 싶은 것이 아주 많았다. 근데 막상 글을 쓰려니까 생각이 잘 안 난다. 그래도 한 번 써보겠다. 내가 만약 오늘 하루 어른이 된다면….

첫 번째, 커피를 마실 것이다. 어른이 된다면 커피를 마셔보고 싶다. 원래는 카페인이 들어가 있다고 부모님이 못 먹게 하신다. 하지만 어른이 되면 먹을 수 있어서 라테, 아이스 아메리카노 등 여러 가지 커피를 마셔보고 싶다.

두 번째, 하루 종일 놀기이다. 대학생까지는 학교에 다녀야 해서 평일에는 하루 종일 놀기가 어렵다. 하지만 어른이 되면 하루쯤 일을 하지 않고 놀고 싶다. 그냥 집에만 있어서 아무것도 하지 않고 있어 보고 싶다. 그래서 어른이 된다면 일을 하나도 안 하고 계속 쉬거나 놀고 싶다.

세 번째, 회사 가보기이다. 뭔가 한 번쯤은 회사에 가보고 싶다.

대형회사, 유명한 회사에 가서 일해보고 싶다. 왜냐하면 유명한 회사에서는 어떻게 일하는지 궁금하다. 또 나도 유명한 회사에서 일해보고 싶기 때문이다.

네 번째, 운전하기이다. 어른이 되면 운전을 해보고 싶다. 솔직히 말하면 운전하기가 살짝 무서울 것 같기도 하다. 그래도 운전해서 가족들을 태우고 여행을 가고 싶다. 또 아빠가 운전하실 때 힘드시면 내가 대신 해드리고 싶기 때문이기도 하다.

다섯 번째, 학원 숙제를 안 해도 된다는 것이다!! 어른이 되기 전에는 시험을 잘 보기 위해서, 원하는 대학교에 가기 위해서 학원에 다니곤 한다. 근데 학원에 가면 숙제를 받는다. 그래서 그 숙제를 다 해야 하는데, 어른이 되면 굳이 학원에 다닐 필요가 없어서 숙제해야 할 필요가 없다.

마지막으로 혼자 여행을 갈 수 있다는 것이다. 어른이 되기 전에는 혼자 여행을 가기 어렵고 위험하다. 하지만 어른이 되면 혼자 자유롭게 여행을 다닐 수 있다. 그래서 어른이 되면 혼자서 여행을 가보고 싶다.

여기까지 이번 수필이었다. 나중에 어른이 되면 꼭 다 해봐야겠다. 또 이번 수필을 쓰면서 어른에 장단점을 알 수 있게 되었다. 또 내가 어른이 되면 하고 싶은 게 이렇게 많았다는 것도 알 수 있게 되었다. 빨리 어른이 되는 것도 나쁘지 않겠다.

제 21화 2학기 현장체험학습을 다녀오고 나서

-아쉽지만 행복했던 그 손님-

초등학교 인생이 끝나갈 무렵, 체험 학습이라는 반가운 손님이 찾아왔다. 하지만 이전에 왔던 체험 학습 손님들과는 조금 달랐다. 놀이공원도 아닌 '잡월드'라는 목적지의 이력을 가지고 있는 그 손님은 처음에는 별로 달갑게 느껴지지 않았다. 하지만 그곳에 갔다 오고 나서는 생각이 바뀌었다. 내 생각을 바꾼 잡월드에서 있었던 일들을 말해주겠다.

행복한 날의 시작은 아침부터였다. 평소보다 일찍 일어나 세수도 하고, 양치도 하며 부지런히 준비했다. 준비를 다 마치고 일찍 밖으로 나왔다. 오랜만에 가는 현장 체험 학습의 걱정도 있었지만, 들뜬 마음이 걱정들을 모조리 먹어 치웠다. 가벼운 걸음으로 학교에도 금방 도착했다. 신나는 마음으로 친구들에게 줄 간식 봉지를 만지작거리며 버스를 기다렸다.

어느덧, 버스가 도착하고 두근대는 마음을 안은 채 버스에 올랐다. 버스에서 친구들에게 간식을 나누어주고 자리에 앉으니 신나는 마음으로 가려져 있었던 피곤한 기운이 찾아왔다. 들뜬 마음도 가라앉힐 겸 헤드셋을 끼고 눈을 감았다. 하지만 친구들은 신나는 마음을 가라앉히지 않고 싶었는지 조금 소란스러웠다. 어쩔 수 없이 잠은 제대로 자지 못한 채 잡월드에 도착했다.

별로 기대를 안고 있지 않은 채 갔던 잡월드는 내 생각보다 훨씬 크고 웅장했다. 크기에 놀라는 것도 잠시, 넓고 멋진 분위기의 디자인이 우릴 반겨주었다. 곧이어 체험하는 체험장으로 이동했다. 이동하는 동안 내가 신청한 체험은 어떻게 될지 상상했다. 상상할수록 내 기대는 더욱 커졌다.

체험장의 도착해 내가 신청한 체험실로 들어갔다. 내가 신청했던 것은 '녹음 스튜디오'였다. 긴장되는 마음으로 들어갔던 스튜디오 안은 TV에서 봤던 녹음실 안과 꽤 흡사했다. 녹음실, 마이크, 여러 기기까지 모든 것들이 '성우'인 내 꿈을 더욱 성장 시켜주었다. 좋은 마음으로 자리에 앉아 관계자분의 설명을 들었다. 그런데 나에게 문제가 생겼다. 녹음하는 인물은 6명인데 인원은 8명이었다. 결국 제비뽑기로 2명은 엔지니어와 감독, 나머지는 6명은 녹음을 하는 것으로 결정되었다. 돌아가며 제비뽑기하고 내 차례가 왔을 때 두근거리는 마음으로 나무 막대 하나를 뽑았다. 그런데 맙소사, 감독을 뽑고 말았다. 하지만 신이 도와주셨는지 다른 사람과 역할을 바꾸게 되어 녹음할 수 있게 되었다.

우여곡절 끝에 녹음을 마치고 나왔다. 녹음할 때 더 열심히 했다면 하는 아쉬움과 다른 역할을 하고 싶은 아쉬움이 남았다. 그래도 내가 녹음한 완성본 영상을 보니 왠지 모르는 뿌듯함이 느껴졌다. 그동안 느껴졌던 뿌듯함이랑은 또 사뭇 달랐다. 나중에 또 녹음해 보고 싶다.

이후에 졸업사진을 찍고 어느덧 점심시간이 되었다. 메뉴는 통일된 불고기덮밥이었다. 솔직히 맛이 없지는 않았지만, 다른 맛있는 음식들도 눈에 들어와 아쉽기도 했다. 대충 배를 채우고 가까운 곳에 있던 편의점으로 들어갔다. 평소 먹던 요플레와 눈에 띄었든 푸딩을 사보았다. 평소 먹던 요플레는 당연히 맛있었지만, 푸딩은 조금 실망스러웠다.

그렇게 남는 시간 동안 친구들과 놀다가 다음 체험장으로 이동했다. 다음으로 할 체험은 '항공 정비' 체험이었다. 처음 시작할 때는 별 생각 없이 했는데 한지 보니 점점 흥미가 생겼다. 조금 힘들긴 했지만 무언갈 고치고 조립한다는 것, 심지어 비행기를 고친다는 것이 너무나 재미있었다. 조립하고 나서 나의 완성작을 보니 정말 뿌듯했다.

어느새 체험이 모두 끝나고 집으로 가는 버스에 올랐다. 집으로 향하는 길, 이번 체험 학습으로 추억도 얻었지만 다른 하나를 얻었다. 그것은 이제 나를 이끌어 줄 목적인 '항공정비사'라는 나의 멋진 꿈이다

제 22화 탄생일화를 바탕으로 한 나의 위인전

-김연수전-

옛날 옛적에 김 씨와 이 씨가 첫째 아이와 둘째 아이를 낳았어. 첫째 아이는 둘째 아이보다 3년 더 일찍 태어났지. 하지만 오늘의 이야기는 김 씨와 이 씨의 둘째 아이에 대한 내용이야.

둘째 아이는 2012년 11월 22일에 연수라는 이름을 가지고 태어났어. 어릴 때는 집에 아주 오래되어 녹이 슨 커터 칼이 진짜로 잘릴지 궁금해서 직접 엄지손가락에 긁어 봤을 정도로 말괄량이 소녀였지.

또 엄마가 마트에서 간식을 사줄 때 금지한 유전자 변형 가능성이 있는 간식을 보고는 저 간식을 먹으면 자신의 피부가 무지개색으로 변할 거라 생각할 정도로 상상력이 풍부한 아이이기도 했어.

그렇게 똑같은 일상을 보내던 연수는 6학년 때 아주 훌륭한 반을 만났어. 오아시스라는 이름의 반이었지. 그곳에서 인생에 도움이 되는 배움을 얻고 중학교, 고등학교에서도 좋은 성적과 좋은 친구들을 얻었어. 좋은 성적은 연수의 꿈을 펼칠 수 있는 아주 좋은 기회가 되었고 좋은 친구들은 꿈을 응원해 주었지. 덕분에 대학교는 어릴 때부터 원했던 사진과 관련된 학과에 들어갈 수 있었어.

대학교에서부터 우수한 실력으로 인정받기 시작한 연수는 대학교를 졸업한 뒤에는 벌써 우리나라에서는 이름을 떨치는 유명한 사진작가가 되어있었지.

그 후 연수는 부모님의 고향인 제주도로 내려갔어. 그러곤 Y's 스튜디오라는 사진 스튜디오를 세웠지. 그곳에선 제주도로 사진을 찍기 위해 찾아온 사람들을 제주도의 멋진 풍경과 함께 담아주었어. 그곳에서 남편을 만나 결혼하기도 했지.

남편은 같은 사진작가였는데 제주도 사람이었고 남편 역시 대학교 때부터 이름을 떨치기 시작해 유명했어. 그런데 롤모델이었던 연수를 만나 사진을 다시 배우기 위해 제주도로 찾아온 거야. 스튜디오에서 만난 둘은 첫눈에 반했어. 그 후 둘은 결혼해 Y's 스튜디오에서 부부 사진작가로 활동했어.

사람들의 소중한 추억을 영원히 기억해 주는 한 사진작가의 이야기. 어땠어? 오늘의 이야기. 사실은 이 이야기는 연수가 6학년 때 지은 이야기야. 꿈을 위해 열심히 노력한 연수처럼 너도 노력한다면 꿈을 이룰 수 있을 거야.

제 22화 내 탄생일화를 바탕으로 한 나의 위인전

-민호전-

2002년 이모씨와 유모씨는 소게팅을 받아 명동에서 만났어. 그들은 처음 만나서 서로에게,
“안녕하세요, 처음 뵙겠습니다.” 하고 어색한 인사를 했어. 그때부터야. 그들은 썸? 1달 정도만 타고서, 9년동안 연애를 했데. 그리고 2011년, 그들은 결혼했지. 프러포즈? 글세 … 둘 다 반반으로 했다는 것만 알려!
그러다가 결혼하고 얼마 후에, 이모씨의 꿈에 어떤 큰 호랑나비가 머리 위에 앉은거야. 그러자 이모씨가,
“악!!!! 저리가~!” 하고 손을 내저었어. 하지만 그 나비는 떨어지지 않았자. 그리고 꿈에서 깨니 조금 몸이 불편 한거야. 그래서 병원에 가니
“축하드려요, 임신이네요.” 하고 의사가 말했지. 그리고 출산 예정일이 3월로 결정되어 그날이 오고 있었지. 그런데, 2월달에 정기검진을 받으러 갔어. 그때 혈압을 알아보니 이모씨와 아이 모두 위험한 상황이었어. 그래서 긴급 유도분만을 하기로 했지. 약을 투여하고 기다리고 있었지. 그런데 아이는 나올 생각을 안하더라? 그래서 어쩔 수 없이 제암절개를 해서 아이를 낳았지. 그 아이의 이름은

구슬 민, 산호 호 라고 하여 민호라고 지었어. 민호는 처음 보는 사람들과도 친하게 지냈지. 그런데, 사람의 몸에 심장 있지? 사람이 태어나면 심장에 구멍이 조금 나있어. 시간이 지나면 저절로 매워지지만 말이야. 그런데, 민호는 매워지지 않고 그대로 있는 거야. (실화) 그래서 1~2 달 씩 한번 병원에 가서 초음파 검사를 했지. 그래도 많이 아프지는 않아서 어린이집도 재미있게 지냈어. 그리고 4~5살 정도 됐나? 그때도 병원에 가서 검사를 하고 있었지. 그런데 의사 선생님이,

"구멍이 다 메워졌어요. 이제 병원 안와도 돼요!" 하고 말하셨어. 민호는 좋아하면서도 반은 아쉬워 했지. 그 이유가, 민호는 병원을 가는걸 좋아했거든. 그래도 많이 아프지 않다는 것이 매우 기쁘게 느꼈지. 그리고서 시간이 지난 후, 민호는 초등학교에 입학을 하게 되었어. 민호는 그때부터 진정한 사회생활을 하게 됐지. 그런데, 민호는 그게 적성에 맞았나봐. 민호는 친구들이랑 선생님이랑도 친해게 지냈거든. 그런데, 민호가 콧소리가 심해서 병원에 갔었어. 그런데 의사선생님이,

"이거, 큰 병원 한번 가야겠어요." 하고 말하신거야. 그래서 경희대병원으로 가보니 코에 아데노이드 중후군이라는 덩어리 진 것이 생긴거야. (실화) 그래서 빨리 수술을 하게 됐지. 다행이 편도같은 곳에까지 번지지 않아서 빨리 끝나게 되었어. 그리고 또 1년이 지났는데 그때 갑자기 코로나 시국이 된거야. 그래서 친구들을 많이 만나지 못하고, 집콕을 하는 신세가 되었지. 그런데, 잠깐씩만 외출하던 건데도 코로나에 걸려버린 거야. 그때 처음 걸려서 처음은 문

제 하나 풀다가 1문제에 10분이 걸렸지. 그래도 집에서 며칠 있었더니 빨리 나을 수 있었어. 그런데 집에 같이 있던 부모님도 같이 걸려서 같이 힘들어 했지. 뭐, 그 이후는 비슷했어. 그리고 5학년이 되자 코로나 팬데믹이 풀려서 전면등교를 할 수 있었지. 그런데 현장체험 학습을 에버랜드로 갔거든? 그런데 하필 그날 비가 엄청 오는거야. 그래서 짰던 계획도다 못하고 그냥 음식만 먹고 왔어. 6학년이 되고선 초등학교에서의 인생중 가장 좋은 인생을 보냈어. 그 이유는 담임 선생님이 재미있는 활동도 많이 하셨거든. 그래서 초등학교에서의 인생을 잘 마무리 할 수 있었지. 그리고서 중학교, 고등학교도 좋은 친구들도 만나며 학교생활을 잘 마쳤어. 그 안에서 많은 동아리도 해보고 말이야. 그런 다음, 성인이 되어서 유튜브를 시작했어. 그러고서 어느정도 유명해지고 하니 세계일주도 해보고 싶다는 생각이 든거야. 그래서 열심히 일하면서 경비도 모으고, 유튜브 활동도 열심히 했지. 그래서 세계일주를 시작하며 결혼도 했어. 그래서 아이도 낳게 되었지. 그런데, 아이가 생기고 나니 세계일주를 포기하게 되고, 유튜브 활동도 자주 업로드 하기 힘들었어. 그래도, 잘 키우니깐 보람찼을거야. 그렇게 지내면서 민호는 손주, 손녀도 보며 행복한 삶을 살았대.

민호는 태어날 때부터 조금 위험한 일이 생겼지. 나중에는 조금은 고달프게 살기도 했고 말이야. 그래도 민호가 포기하지 않을 수 있던 이유는 주변의 사람들이 있었기 때문이 아닐까? 늘 옆에서 격려해주고, 응원해 준 사람들이 있었기에 그렇게 좋은 삶을 살았을 거야. 그런 사람들이 함께하려면 운도 어느정도 있겠지. 하지만 더 중요한 것은 너부터 안 다음에 다른 사람을 생각할 수 있어야 해. 아무리 운이 좋더라도, 다른 사람들을 잘 대해주지 않는다면 모두 떠나버리고 말거야. 그러니깐 다른 사람들도 잘 대해주는 좋은 사람이 되는 것이 중요하지. 그렇게 하려면 늘 나 자신을 성찰하는 시간을 갖는 것이 좋을 거야. 너는 지금 다른 사람에게 어떤 모습으로 보일 것 같아?

제 23화 내 머릿속은 안녕한가요?

-what's in my head-

내 머릿속에는 정말 많은 것들이 들어있다. 그리고 앞으로 새롭게 알게 될 것들도 무수히 많다. 내 머릿속의 한계는 어디까지 다다를까? 이번 수필 주제 '내 머릿속은 안녕한가요?'에 대해 생각해 보면서 내 머릿속이 딱히 안녕하진 않다고 생각했다. 그런데 과연 머릿속이 안녕한 사람은 존재할까? 존재한다면 이제 막 태어난 신생아라고 할 수 있을 것 같다. 그만큼 사람이라면 누구나 머릿속이 안녕하지 못하다는 것이다. 그렇다면 왜 나의 머릿속은 안녕하지 않을까?

첫 번째로는 학생이라면 누구나 있을 '학업'에 관한 고민이다. 나는 아직은 공부가 너무 싫다고는 생각을 해보지는 않았지만, 그래도 학생이라면 우선 공부를 잘해야 하고 공부를 잘하면 나중에 내가 선택할 수 있는 직업이나 회사의 폭도 넓어진다. 그리고 이제 중학교 입학이 정말 코앞으로 다가온 만큼 공부량도 많아지고 주위에서 알게 모르게 압박을 해가니 여러 가지로 스트레스도 많아지고 부담도 커지니 내 머릿속이 안녕하지 못한 것 같다.

두 번째로는 미래에 대한 고민이다. 미국에서 16살에 최연소 검사가 된 '피터 박'이라는 사람은 초등학교 6학년부터 로스쿨에 다니고 법을 공부했다고 했다. 나는 이 말을 듣고 '그럼 나도 지금부터 내 진로를 정해놓고 공부해야 하나?'라는 생각이 무심코 들었다. 하지만 나는 아직도 하고 싶은 것이 너무 많고 이것저것 다 따지느라 진짜로 미래에 나는 어떠한 일을 해야 할지 명확하게 정해놓지 않아서 이러한 부분에서 자연스럽게 고민이 생겼고, 머릿속이 안녕하지 못한 것 같다.

세 번째로는 졸업을 하는게 너무 싫은 마음 때문이다. 나는 올해 6학년 생활이 너무 행복하고 이제야 많이 친해진 것 같은데 벌써 졸업을 한다는 게 너무 아쉽다는 마음이 항상 든다. 그리고 이 잼민이가 벌써 중학생이 된다는게 믿기지 않고 현타가 온다. 그래서 졸업 전에 얼른 오아시스 동창회 계획을 세워야만 속이 후련할 것 같다.

네 번째로는 오늘 저녁을 뭘 먹을지 고민이 되기 때문이다. 다행히 점심은 급식으로 아주 만족스럽게 채우지만 항상 저녁이 문제가 된다. 그리고 항상 비슷한 음식들을 먹다 보니 뇌가 안녕하지 못한 것 같다. (결론: 지능적으로 문제가 됨.)

다섯 번째로는 너무 많은 선택을 해야 하기 때문이다. 오늘만해도 셀 수 없을 정도로 많은 선택을 한 것 같다. 과학자들의 말에 따르면 사람이 선택을할 때 정말 많은 에너지를 쓴다고 했다. 그래서 내 머릿속이 안녕하지 못한 것 같다.

여섯 번째로는 요즘 잘생긴 남자들이 많기 때문이다.(정확히는 오빠들....?) 나는 하나에 꽂히면 그걸 계속 파는데 남자 아이돌, 배우들은 아무리 파도 잘생긴 사람들이 계~~~~속 나온다. [예)라이즈, 투바투, 스키즈, 투어스, 세븐틴, 차은우, 변우석, 등등 약 10000000명] 하지만 왜 내 주변에는 그런 사람들이 없는 걸까? 세상은 참 불공평한 것 같다. 어쨌든 그 분(?) 들은 항상 내 마음속에 상시 대기 중이기 때문에 슬쩍 눈물을 닦아본다......

마지막으로는 요즘 즐거운 일이 많기 때문이다. 요즘 예전보다 웃을 일이 많아진 것 같다. 그리고 항상 긍정적인 마음을 가지다 보니 없던 행복도 생기는 것 같다. 내 생각에는 내 머릿속에 도파민이 가득해서 머릿속이 안녕하지 못할 정도까지 간 것 같다는 느낌도 든다!

이처럼 이번에는 내 머릿속은 안녕한가요? 에 대해 써보았다. 처음에는 뭔가 있어 보이게 쓰고 싶었지만... 점점 안녕하지 못한 정도가 아니라 이상한 정도까지 간 것 같다. 그래도 이번 수필을 통해 숨겨왔던 나의 생각들을 알게 되어서 좋았다.

제 24화 20년 후 오아시스 동창회

-우리들의 오아시스-

나는 33세 박주윤, 오늘은 20년 전 6학년 때 친구들과 선생님을 만나는 날이다. 즉 동창회를 하는 날이다! 옛날 나의 소원이 6학년 때 친구들, 선생님을 다시 만나는 건데.. 그 소원이 진짜 이루어지다니! 믿겨지지가 않는다.. 설레고 오랜만에 만나는 거라 긴장되고 새 학기로 돌아가는 듯한 복잡한 감정이었다.

동창회 약속 장소, 두근거리는 마음으로 문을 여니 지영 선생님께서 먼저 와 계셨다. 선생님을 보니 6학년 때 생각도 나면서 늘 다시 뵙고 싶었었는데 소원이 이루어진 거 같아 울컥하고 마음이 따듯해졌다... 지영 쌤을 보자마자 나는 선생님께 달려가 안겼다.

"으에엥 선생님~ 너무 보고 싶었어요 ㅜㅜ 이게 몇 년 만인지.. 벌써 20년이나 지났네요. 그래도 어제 본 것처럼 너무 편해요!! 히히"

선생님께 요즘은 어쩌고저쩌고 재잘재잘 이야기하다 보니 드르륵!! 예서, 지유, 지민, 유찬이 등 친구들이 들어왔다.

"으아앙~ 보고 싶었어! ㅜㅜ 이게 얼마 만이야"

"엇! 이지민 회장님! 요즘은 잘 지내시나요? 오랜만입니다 ㅋ"

"우아! 유찬이 너 요새 유명하더라?"

우리는 금세 6학년 때처럼 왁자지껄 이야기했다. 6학년 때와 달리 친구들이 많이 변해있었다. 변한 친구들을 봐서 그런지 오랜만에 봐 벅차오르는 마음 때문인지 나와 몇 친구들은 울음바다가 되었다.

"ㅋㅋ 예전이나 지금이나 다 똑같네~ 졸업식에도 울더니~"

장난꾸러기 남자친구들은 옛날처럼 우리를 놀렸다. 그 놀림마저 추억이 떠올라 우리는 모두 하하하 웃었다. 그때 유준이가 말했다.

"울다 웃으면 엉덩이에.. 알지?"

"ㅋㅋㅋ 천하의 강유준은 역시 여전하네~"

우리는 너무너무 행복했다. 이 순간을 더 느낄 수 있게 시간이 멈춰주었으면 좋겠다고 생각했다.

선생님과 우리는 둥글게 모여 앉아 요즘은 어떻게 사는지 이야기 했다. 결혼을 해 아이를 낳은 친구도 있었고 아직 결혼을 안 한 친구들도 있었다. 그리고 대학을 서울대로 간 친구도 있었다! 세희는 올림픽 금메달리스트 수영선수가! 유찬이는 유명한 K-POP 아이돌 가수가! 지유는 요즘 감성 있기로 유명한 빵집을 운영하는 제빵사가! 예전의 꿈을 이룬 친구들을 보니 나도 그 꿈을 알았었다보니 내가 된 것도 아닌데 기쁘고 뿌듯했다!

지영 선생님이 6학년 때 우리가 드린 선물, 편지를 다 가져와 보여주셨다. 100일 편지, 200일 편지, 졸업 편지, 내가 그려서 드린 그림, 키링들을 보니 이걸 아직도 모아두셨다니!! 감동이었다...훌쩍 훌쩍 그리고 6학년 때 모두 같이 했던 타임캡슐을 열어보았다. 폴라로이드 사진으로 남은 우리의 어린 시절과 미래의 나에게 보내는 편지를 읽어보니 6학년이라는 추억에 내 마음이 포근하게 감싸졌다.

이러쿵저러쿵 이야기하다가 우리는 공원에 가기로 했다. 우리 학교와 가까웠던 올림픽공원으로! 마침 봄이어서 벚꽃놀이하러 가기로 했기 때문이다. 옛날에 줄을 섰던 것처럼 우리는 남자·여자 2줄로 선생님을 따라갔다! 공원에 있는 벚꽃이 너무 예뻐 선생님과 우리는 우아~ 감탄하며 걸어갔다.

우리는 잔디밭에 돗자리를 깔고 앉았다.
"야야 나 사진 좀 찍어 줘! 인별에 올려야 함 ㅎㅋㅎㅋ"
"오케이! 그다음에 나 찍어줘야 해~"
우리는 사진을 찍고,
"선생님이 술래하세요! 히히"
"무궁화꽃이 피었습니다~ ㅎㅎ 시영아^^ 너 아웃이야"
놀기도 했다. 힘든 사회 속에서 동심을 찾아 추억의 놀이도 오랜만에 하고 이쁜 사진도 찍 너무나 즐거운 시간이었다!

놀고 점심도 먹고 이야기도 실컷 하다 보니 벌써 해가 지기 시작했다. 우리는 벚꽃에서 선생님 사진도 찍어드리고 같이 찍기도 하고 마지막엔 단체 사진도 찍었다. 헤어질 시간이 되니 나는 발걸음이 무거워졌다.

"이게 얼마 만인데.. 벌써 시간이 이렇게 됐다니 해어지기 싫다.. ㅜㅜ"

"선생님..너무 보고 싶을 거에요 얘들아, 오늘 재미있었어 ㅜㅜ 다음에 또 우리 반 모일 거지?"

우리는 다시 처음 만날 때처럼 눈물바다가 되었다. 웬만하면 울지 않는 남자친구들도..

"그래..! 우리 꼭 다음에 다시 만나자! 우리 마지막에 오아시스 사랑해! 하고 헤어지는 거 어때?"

선생님과 친구들 모두 고개를 끄덕거렸다.

"하나~ 둘~ 셋! 오아시스 사랑해!♥"

우리는 모두 헤어졌다. 아쉬웠지만 행복했다. 오늘 하루가 내 에너지가 되었고 무엇보다 우린 다음에 또 만날 걸 아니까!

제 24화 20년 후 오아시스 동창회

-안녕은 영원한 헤어짐이 아니겠지요.....-

"띠리리링" 어느 날 나에게 익명의 전화가 왔다. 전화를 받아보니 허지영 선생님이었다. 선생님께서는 어제 로또 1등에 당첨되어서 오아시스 동창회를 하기로 하셨다. 집도 24명이 들어올 수 있는 크기로 샀고, 맛있는 음식도 많이 준비했다고 하셨다. 나는 갑자기 들은 소식에 깜짝 놀랐지만, 내일이 동창회였기에 연차를 내고 동창회에 참석하기로 했다.

당일날이 되었다. 동창회 장소(선생님의 집)에 가는데 설레면서 많은 생각이 들었다. '유준이는 과연 철이 들었을까?', '커플은 있을까?', '허지영 선생님은 잘 계실까?' 등 수많은 물음표가 나를 찾아왔다. 지하철을 타고 가는데 하연이를 만났다. 그런데 그 옆에 뭔가 익숙한 남자애가 있었다. 그 녀석은 시영이었다. 나는 나도 모르게 "설마 둘이....?" 라고 말해 버리자, 하연이는 질색을 하면서 같이 운동을하다 왔다고 했다. 하지만 시영이는 아무말도 하지 않았다. 나는 아직도 의심이 갔지만 오랜만에 만났는데 이러면 안될 것 같다고 생각해서 꾹 참고 둘과 함께 동창회 장소로 향했다.

도착했더니 5명 정도가 와있었다. 확실한 건 주윤, 예서, 지유인데, 그 옆에 익숙하면서 낯선 두 녀석들이 있었다. 물어보니 유준이와 도현이었다. 알고 보니 둘이 제일 먼저 와 있었다고 했다. 감탄하던 와중에 갑자기 10명 정도의 아이들이 우르르 몰려왔고, 나머지 아이들도 우르르 몰려왔다. 결석생은 없었다. 그리고 마지막에 선생님이 얼굴을 드러내셨다!! 우리는 동시에 우와~!! 하고 외쳤고 여자애들은 선생님에게 안겼다. 남자 녀석들은 어색한지 박수만쳤다. 우리는 재밌는 놀이와 함께 개회식을 했다. 개회식이 끝나자 우리는 다 함께 모여 수다를 떨었다.

이야기를 하던 중 갑자기 유준이가 일어나 갑자기 우리보고 술파티를 하자고 했다. '아뿔싸... 유준이가 철이들기는...'이라고 생각했지만 유준이가 가져온 술들은 모두 비싼 샴페인과 와인이었다. 도현, 유찬, 시영, 지민, 준원, 원종이는 갑자기 눈빛이 바뀌면서 슬쩍슬쩍 유준이 옆으로 가 "당장 먹자"라고 했다. 하지만 선생님이 나타나 녀석들과 진지한 상담을 나눴다. 우리는 깔깔대고 웃었다.

우리는 서로 어떤 일을 하는지에 대해 가장 많이 말했다. 다들 대학교는 어디 나왔는지, 철은 들었는지, 어떤 일을 하는지, 커플이 있는지 등등 여러 이야기를 했고, 6학년 때의 기억들을되새겨보기도 했다. 이렇게 모여서 이야기하다 보니 시간이 엄청 빨리 갔다. 그래서 슬슬 배고파 지니 선생님께서 음식을 하나하나 주셨고 우리는 선생님을 도와 음식을 만들기도 했다. 24

명이 함께 도우니 그 많은 것들이 금방 제자리를 찾았다. 하지만 먹는 속도가 더 빨랐다.

음식을 반쯤 먹었을 쯤에 드디어 유준이가 조심스럽게 술을 꺼냈다. 그런데 전부 도수가 높은 것들 이어서 2~3잔씩만 먹었다. 그래도 공짜 술을 얻어먹은 기분이어서 좋았다.

이렇게 동창회는 새벽이 되자 마무리되었다. 하지만 여기서 끝나지 않고 몇몇 아이들은 2차, 3차까지 갔다. 그리고 서로 연락처도 주고받으며 다음에 또 만날 것을 약속했다. 다음에는 환갑 기념 동창회 했으면 좋겠다!

24화 20년 후 오아시스 동창회

-20년 전 친구들과의 동창회-

"안찬민 선수! 적을 죽이고 1위가 되었습니다!"

나는 성인이 되고 프로게이머가 됐다. 그러던 어느 날….

"Zzzz(자는 중)"

(핸드폰 소리가 울린다)

"아…. 막 좋은 꿈 꾸고 있었는데…. 어? 오아시스 동창회?"

[6학년 오아시스반 친구들에게] 얘들아~ 오랜만~~ 동창회 올 사람은 서울특별시 00구 00동 00 초등학교로 와~ 아! 참고로 선생님이랑은 다 말해놨어! 아! 날짜는 11월 11일!

"오~ 나도 한번 가볼까? 오아시스 카톡방 들어가 봐야겠다!"

???:나도 갈게! 000: 나도!!

"꽤 많이 오네? 흠…. 나도 가야겠다!"

그렇게 해서 많은 날이 지나고 동창회 날이 다가왔다.

"아…. 심심해…. 아! 맞다! 오늘 동창회 날이구나! 아직 안 늦어서 다행이다…! 빨리 가야지!"

그렇게 동창회 장소에 들어갔을 때 먼저 보인 건 바로 지민이였다.

"찬민아~ 안녕!"

지민이가 말했다. 나는 순간 깜짝 놀랐다. 왜냐하면, 내가 아는

지민이와 너무 달랐기 때문이다. 지민이는 얼굴에 딱 공부 잘한다고 쓰여 있는 것 같았다.

“아~ 지민아 너였어? 근데 너 직업은 뭐냐? 공부 잘할 것처럼 생겼어”

“올~ 보는 눈이 있구먼~ 나 EBS 1타 강사잖아~”

역시 내 촉이 맞았다. 지민이는 EBS에서 가장 유명한 1타 강사가 돼 있었다. 그렇게 지민이와의 인사를 마치고 눈에 보인 건 선생님이었다. 나는 선생님을 봤을 때 지민이를 처음 봤을 때 보다 훨씬 놀랐다. 왜냐하면, 내가 33살인데 선생님은 20대 초반처럼 아주 예쁘셨기 때문이다.

“선…. 선생님? 선생님 맞죠?”

“음…. 이렇게 잘생긴 거 보면…. 찬민이구나!”

역시 선생님은 나를 한눈에 알아봐 주셨다. 선생님은 교사 생활을 그만두시고 오아시스라는 명품 중에서 명품인 옷 브랜드를 창설하셔서 돈으로 샤워할 정도로 돈을 마구마구 버셨다. 지민이와 선생님과 함께 즐겁게 대화하던 중 어떤 사람들이 들어왔다. 자세히 보니 그 사람들은 바로…. 경호원이었다.

“엥? 경호원이 여기는 왜?”

지민이는 이해할 수 없다는 듯이 말했다. 그때 유찬이, 시영이, 유준이가 들어왔다. 그 셋은 알아볼 수 없을 정도로 잘생겨져 있었다. 특히 유준이. 내가 알던 유준이가 아니었다.

“유준아 너 맞지?”

유준이는 어이없다는 듯이 자아도취를 하며 자기가 잘생겨졌다며

자랑했다. 왜 이렇게 잘생겨졌나 생각하고 있었을 때 지민이가 나에게 말해주었다.

"쟤네 요즘에 엄청 인기 많은 아이돌이잖아~ㅋㅋ"

난 그 말을 듣자마자 유찬이, 시영이, 유준이한테 사인을 받아서 비싼 가격에 팔려고 했지만 참았다. 재밌게 친구들과 놀고 있을 때 누군가 문을 슥 열고 들어왔다.

"헉…. 헉…. 얘들아 나 안 늦었지?"

누가 안 온 거 같다고 생각했는데 도현이였다. 나는 순간 도현이가 아닌 줄 알았다. 그 이유는 엄청나게 비싼 브랜드의 자전거와 자전거 주행용 옷, 바지를 입고 있었기 때문이다. 도현이가 13살에 자전거를 좋아했던 것을 알고 있었긴 하지만 자전거 선수가 됐을 줄이야….

"야 도현아 나도 자전거 한 대만 사주라"

"응~ 안돼~"

역시 도현이다웠다. 유준이와 달리 도현이는 13살 모습과 똑같아 오히려 더 친근했다. 그렇게 해서 친구들과 1차, 2차, 3차를 끝내고 이제 동창회를 끝내려 했다. 동창회를 끝내가려 하니 친구들 모두 아쉬워했다. 하지만 친구들과 나, 선생님 모두 다시 만날 것을 기약하며 헤어졌다. 20년 전 친구들과의 동창회지만 참 재미있었다!